大学物理实验

主　编　钟春晓　龚小华
副主编　王锦丽　李　蓉　任喜梅

北京航空航天大学出版社

内 容 简 介

本书是根据教育部颁发的《理工科类大学物理实验课程教学基本要求》(2010 年版),针对理工科院校的特点与实验教学条件,并结合当前物理实验教学改革的情况和独立学院的要求编写而成的。

全书内容包含五个部分,即绪论、测量的基本概念与数据处理、物理实验基本仪器介绍、基础实验和综合设计性实验,收录了力学、热学、电磁学、光学和近代物理学的实验,基础实验都提供了较为详细的实验目的、实验原理、实验仪器、思考题、实验步骤、注意事项等。而综合设计性实验以启发性、研究性为目的,对实验仪器要求不高。

本书可以作为高等理工科院校各专业不同层次的物理实验教材或教学参考书,也可供涉及物理学的广大科技工作者或有关课程教师参考。

图书在版编目(CIP)数据

大学物理实验 / 钟春晓,龚小华主编. -- 北京 :
北京航空航天大学出版社,2017.11
ISBN 978 - 7 - 5124 - 2576 - 7

Ⅰ. ①大… Ⅱ. ①钟… ②龚… Ⅲ. ①物理学-实验
-高等学校-教材 Ⅳ. ①O4 - 33

中国版本图书馆 CIP 数据核字(2017)第 254328 号

大学物理实验

主 编　钟春晓　龚小华
副主编　王锦丽　李 蓉　任喜梅
责任编辑　张冀青

*

北京航空航天大学出版社出版发行

北京市海淀区学院路 37 号(邮编 100191)　http://www.buaapress.com.cn
发行部电话:(010)82317024　传真:(010)82328026
读者信箱: bhpress@263.net　邮购电话:(010)82316936
涿州市新华印刷有限公司印装　各地书店经销

*

开本:710×1 000　1/16　印张:11.5　字数:245 千字
2017 年 12 月第 1 版　2025 年 2 月第 8 次印刷
ISBN 978 - 7 - 5124 - 2576 - 7　定价:35.00 元

若本书有倒页、脱页、缺页等印装质量问题,请与本社发行部联系调换。联系电话:(010)82317024

前　　言

　　大学物理实验是高等理工科院校课程体系中的一门重要的实践性基础课,是本科生进入大学以后最先接触的实践课程之一,是学生接受系统实验原理、方法和实验技能训练的一个开端,对培养学生的动手能力、分析问题和解决问题的能力以及严谨的科学态度等方面都起着至关重要的作用。

　　本书是根据教育部颁发的《理工科类大学物理实验课程教学基本要求》(2010 版),针对理工科院校的特点,结合当前物理实验教学改革的实际情况和实验仪器的现状编写而成的。

　　全书内容包括绪论、测量的基本概念与数据处理、物理实验基本仪器介绍、基础实验、综合设计性实验。本书的特点:在实验项目的编排上,由基础实验到综合设计性实验,由易到难、循序渐进,这样有利于学生对物理实验课程的学习和实验能力的培养。每个基础实验都设置了预习思考题,有益于学生在做实验之前,了解掌握实验的理论,确定实验的大概过程。综合设计性实验是在学生做了一定数量的基础实验后,为了培养学生自主进行科学实验的初步能力而设置的。设计性实验只提出研究对象和要求,并给予适当的提示,主要是让学生运用相关的综合知识自行确定实验方法、选择合适的仪器设备和设计一定的实验程序,自己加以实现并对结果进行分析处理。

　　参加本书编写工作的是华东交通大学理工学院物理教研室以及物理实验室的老师。其中:钟春晓编写了第一章、第二章、实验一到九,任喜梅编写了实验十到十二,李蓉编写了实验十三至十五,龚小华编写了实验十六到十九,王锦丽编写了实验二十到二十五以及附录。龚小华为本书初稿的录入做了大量的工作。钟春晓负责全书的统稿。

　　本书在编写的过程中,参考了部分兄弟院校的实验教材和部分仪器厂家的说明书,在此致以真诚的谢意!

　　由于编者的水平有限,加之时间仓促,书中难免有错误及欠缺之处,恳请读者批评指正。

编　者

2017 年 8 月

目 录

绪　　论

物理学从本质上说是一门实验科学。物理规律的发现和物理理论的建立,都必须以严格的物理实验为基础,并受到实验的检验。例如,杨氏的干涉实验使光的波动学说得以确立;赫兹的电磁波实验使麦克斯韦的电磁场理论获得普遍承认,等等。当然,一些物理实验问题的提出,以及实验的设计、分析和概括也必须应用已有的理论。总之,历史表明,物理学的发展是在实验和理论两方面相互推动和密切结合下进行的。

大学物理实验作为工科类院校的一门课程,是学生进入大学后受到的系统的实验技能训练的开端,是后续课程实验的基础。

一、　大学物理实验课教学的目的和任务

1. 在具有一定的物理知识和中学物理实验的基础上,对学生进行物理实验方法和实验技能的基本训练。通过实验要求学生做到:弄懂实验原理,了解一些物理量的测量方法;熟悉常用仪器的基本原理和性能,掌握其使用方法;能够正确记录、处理实验数据,分析、判断实验结果,并能写出比较完备的实验报告。

2. 培养并逐步提高学生观察和分析实验现象的能力以及理论联系实际的独立工作能力。通过实验的观察、测量和分析,加深对物理学的某些概念、规律和理论的理解,并进行实验方法、科学实验能力的训练和培养。包括:

(1) 自己查询资料或者教材,理解实验内容并做好准备工作;

(2) 通过教材和教师介绍,能正确调节并使用相关的实验仪器,观察实验现象,对实验中出现的问题能够有初步的分析和判断;

(3) 能够正确记录和处理实验的相关数据,并且能够对实验误差进行分析,写出规范的实验报告;

(4) 培养学生简单的综合设计能力,能够自行设计并完成简单的综合设计性实验。

3. 培养学生严格认真的工作作风、实事求是的科学态度,以及爱护财产、遵守纪律的优良品德。

二、　大学物理实验的特点

学生在物理实验课中主要是通过自己独立的实验实践来学习物理实验知识,培养实验能力,提高实验素养,这个学习任务决定了作为实验课程的物理实验有以下几

个特点：

1. 实验带有很强的目的性。无论是应用性实验还是探索性实验，几乎都是在已经确立的理论指导下的实践活动，在有限的时间内，不仅要完成实验课题（实验目的），而且还要完成学习任务（实验要求）。那种把实验课程看成是摆弄仪器、测测数据就达到目的的单纯实验观点是十分有害的。

2. 实验要采取恰当的方法和手段，以使所要观察的物理现象和过程能够实现，并达到符合一定准确度的定量测量要求。虽然方法和手段会随着科学技术和工业生产的进步而不断改进，但历史积累的方法是人类知识宝库精华的一部分，有了积累才能有创新，因此，从一开始就应十分重视实验方式知识的积累。

3. 实验中所包括的技能，内容十分广泛。仪器的选择、使用和保养，设备的装校、调整和操作，现象的观察、判断和测量，故障的检查、分析和排除，等等，都有众多的原则和规律，可以说它是知识、见解和经验的积累。唯有实践，既动手又动脑地不断实践，才有可能获得这种技能，单凭看书是不可能学到的。

4. 实验需要用数据来说明问题，数据是实验的语言。物理实验中，数据处理有各种不同的方法以及特定的表达方式。测量结果、验证理论、探索规律和分析问题，无一不用数据，它是学术交流和报告技术成果最有力的工具和最准确的语言。

实验集理论、方法、技能和数据于一个整体，它不但要实验者弄懂实验内容和实验方法的道理，而且还要实验者根据这些道理付诸实现，最后还要从获得的数据结果中得出应有的结论，这就是物理实验的特点。

三、 大学物理实验的基本程序和要求

在做任何一个实验时，必须把握住以下三个重要环节。

1. 实验预习：预习至关重要，它决定着实验能否取得主动和收获的大小。预习包括阅读资料、熟悉仪器和写出预习报告。

仔细阅读实验教材和有关的资料，重点解决三个问题。

(1) 做什么：也就是这个实验最终要得到什么结果。

(2) 根据什么去做：是指实验课题的结论依据和实验方法的原理。

(3) 怎么做：包括实验的方案、条件、步骤及实验关键。

预习报告至少应该包括记录数据的表格、电路图或光路图，设计性实验要拟出实验方案。

2. 实验的进行：学生进入实验室按照编组使用相应的指定仪器。像一个科学工作者那样要求自己，井井有条地布置仪器，根据事先设想好的步骤演练一下，然后再按确定的步骤开始实验。要注意细心观察实验现象，认真钻研和探索实验中的问题。不要期望实验工作会一帆风顺，要把遇到问题看成是学习的良机，冷静地分析和处理

它。仪器发生故障时,也要在教师指导下学习排除故障的方法。总之,要把重点放在实验能力的培养上,而不是测出几个数据就以为完成了任务。

要做好完备而整洁的记录:例如研究对象的编号,主要仪器的名称、规格和编号;原始数据要用钢笔或圆珠笔记入事先准备好的表格中,即使记错,也不要涂改,应轻轻划上一道,在旁边写上正确值(错误多时,须重新记录),使正误数据都能清晰可辨,以便在分析测量结果和误差时参考。不要用铅笔记录,给自己留有涂抹的余地;也不要先草记在另外的纸上再誊写在数据表格里,这样容易出错,况且,这也不是"原始记录"了,希望同学们注意纠正自己的不良习惯,从一开始就培养自己良好的科学作风。

在实验结束后,先将实验数据交给教师审阅签字,然后再整理还原仪器,经教师验收没有问题后,方可离开实验室。实验记录要求认真仔细、实事求是,不允许伪造数据,也不允许抄袭他人的记录。

3. 实验总结:实验后要对实验数据及时进行处理。如果原始记录删改较多,应加以整理,对重要的数据要重新列表。数据处理过程包括计算、作图、不确定度计算和误差分析等。计算要有计算式(或计算举例),代入的数据都要有根据,便于别人能够看懂,也便于自己检查。作图时要按作图规则,图线要规矩、美观。数据处理后应给出实验结果。

完整的实验报告,通常包括下列几个部分:

(1) 实验名称;

(2) 实验目的;

(3) 仪器设备;

(4) 简要原理或计算公式;

(5) 实验数据;

(6) 计算或作图;

(7) 误差分析;

(8) 实验结果;

(9) 讨论。

误差分析包括两方面的内容:一是确定实验结果的误差范围,因为在精确测量中判定实验结果的不准确范围跟获得实验结果具有同等的重要性;二是找出影响实验结果的主要因素,从而采取相应的措施(例如,合理选择仪器,实现最有利的测量条件等)以减小误差。显然,对于不同的实验,因为所用的实验方法或所测量的物理量不同,误差分析的方式亦不尽相同。误差过大时,应分析原因,对误差作出合理的解释。

在表达实验结果时,一般包括不可分割的三部分,即结果的测量值 $\bar{A}$、绝对误差 ΔA 和相对误差 E_r,综合起来可写为

$$A = (\bar{A} \pm \Delta A) \text{ 单位}; \quad E_r = \frac{\Delta A}{\bar{A}} \times 100\%$$

如果实验是观察某一物理现象或验证某一物理定律,则只需扼要地写出实验的结论。

在最后的讨论中,包括回答实验的思考题、实验过程中观察到的异常现象及其可能的解释,以及对于实验仪器装置和实验方法的建议等。还可以谈实验的心得体会,但不要求每个实验都写心得体会,有则写,没有则不要勉强。

第一章　测量的基本概念与数据处理

第一节　测量与仪器

在物理实验中,有一些基本的概念必须要掌握,例如:测量、误差、有效数字和数据处理等概念。测量是物理实验的主要工作,测量操作的合理与否,直接决定了实验结果是否有意义。数据处理是对实验测量的数据进行分析和整理,找出物理量之间的数学关系,从而得出物理规律。

一、　测量的基本概念

(一) 测　量

测量是指为确定被测量对象的量值而进行的被测物与仪器相比较的实验过程。一个物理量的测量结果就是得出被测量的量值,它应包括两部分:数值和单位(不标出单位的数值不能是量值)。

例如,一桌子的长度与米尺相比,得出桌子长度为 1.248 m;一铁块的质量与砝码相比(通过天平),得出铁块质量为 31.852 g。

(二) 测量的分类

按照测量方法,测量分为直接测量与间接测量。

① 直接测量:指被测量和仪器直接比较,得出被测量量值的测量。前面的二例均为直接测量。

② 间接测量:指由一个或几个直接测量经已知函数关系计算出被测量量值的测量。例如,测量单摆的摆长 L 和振动周期 T,由公式 $g = \dfrac{4\pi^2 L}{T^2}$ 算出重力加速度 g 值的过程就是间接测量。

二、　实验仪器

测量仪器是指用以直接或间接测出被测对象量值的所有器具,如游标卡尺、天平、停表、惠斯通电桥、电表、示波器、频率计等。

一个国家的最准确的计算器具有一些主基准,在全国各地则有由主基准校准过的工作基准,实验室使用的仪器已直接或间接用工作基准进行校准过。

测量时是以仪器为标准进行比较,故要求仪器准确,不过由于测量的目的不同,对于仪器准确程度的要求也不同,比如称量金戒指的天平必须准确到 0.001 g,而一般超市卖粮的台秤差几克无关紧要。为了适应各种测量对仪器的准确程度的不同要求,国家规定工厂生产的仪器分为若干准确度等级。各类各等级的仪器,又有对准确程度的具体规定。例如 1 级螺旋测微计,测量范围小于 50 mm,最大误差不超过±0.004 mm;又如 1.0 级电流表,测量范围为 0~500 mA,最大误差不超过±5 mA。

实验时要恰当地选取仪器。仪器使用不当对仪器和实验均不利。表示仪器的性能有许多指标,其中最基本的是测量范围和准确度等级。当被测量超过仪器的测量范围时,首先对仪器会造成损伤,其次可能测不出量值(如电流表),即使勉强测出(如天平),误差也会增大。对仪器准确度等级的选择也要恰当,一般是在满足测量要求的条件下,尽量选用准确度低的仪器。减少准确度高的仪器的使用次数,可以减少在反复使用时的损耗,延长其使用寿命。

第二节　有效数字和误差的计算

一、　有效数字

实验中总要记录很多数值,并进行计算,但是记录时应取几位,运算后应留几位,这是实验数据处理的重要问题,必须有一个明确的认识。

实验时处理的数值,应能反映出被测量的实际大小,即记录与运算后保留的应为能传递出被测量实际大小信息的全部数字,这样的数字称为有效数字。实验中接触的数字,那些传递了被测量大小信息的有效数字应予保留,否则应舍弃。

(一) 仪器读数、记录与有效数字

一般地讲,仪器上显示的数字均为有效数字,均应读出(包括最后一位数字)并记录。例如,用一最小分度为 1 mm 的尺子,测得一物体的长度为 76.2 mm,其中"7"和"6"是准确读出的,最后一位数字"2"是估计的,并且仪器本身也会在这一位出现误差,所以它存在一定的可疑成分,即实际上这一位可能不是"2",虽然读数"2"不十分准确,但还是近似地反映出这一位大小的信息,还应算作有效数字。

仪器上显示最后一位数是"0"时,此"0"也是有效数字,也要读出并记录。例如,用 1 mm 分度尺测得一物体的长度为 36.0 mm,它表示物体的末端与分度线"6"刚好对齐,下一位是"0",这时若写成 36 mm 则不能肯定下一位是"0"。所以此"0"是有效数字,必须记录。另外,在记录时,由于选择单位的不同,也会出现一些"0",例如,3.60 cm 也可记为 0.036 0 m 或 36 000 μm,这些由于单位变换才出现的"0",没有反映出被测量大小的信息,不能认为是有效数字。在物理实验中常采用一种被称为标准式的写法,就是任何数值都只写出有效数字,而数量级则用 10 的幂数去表示,例如 3.60 cm 可写成 3.60×10^{-2} m 或 3.60×10^{4} μm。

对于分度式的仪表,读数要读到分度的十分之一。例如,分度是 1 mm 的直尺,

测量时一定要估测到 0.1 mm 位；分度是 0.001 A 的安培计,测量时一定要估测到 0.000 1 A位。但有的指针式仪表,它的分度较窄,而指针较宽(大于分度的五分之一),这时如果读到最小分度的十分之一有困难,则可以读到分度的五分之一甚至二分之一。

(二) 运算后的有效数字

在讨论运算后有效数字位数的规则之前,先分析一个例子。

例如,测得一长方形的长为 15.74 cm,宽为 5.37 cm,求其面积。由一般算术计算的面积为 84.523 8 cm²,这个数的 6 个数字是否都是有效数字呢? 可以肯定,这两个直接测量值都具有一定的误差,而且误差不小于最后一位数的一个单位,假设它们的较准确值是 15.73 cm 和 5.36 cm,则算出的面积为 84.312 8 cm²。这两个面积值明显不同,而且小数点后第一位就出现差异,由此可以认为只有前三位数字是传递出实际面积大小的信息的,而后三位数字则无意义。因此所求面积的有效数字位数只能取三位。

下面讨论运算后判断有效数字位数的一般规则。

(1) 实验后计算不确定度,根据不确定度来确定有效数字,是正确确定有效数字的基本依据。

不确定度只取一位或两位有效数字,测量值的数值的有效数字是到不确定度末位,和不确定度末位对齐。例如,用单摆测得重力加速度为

$$g = (981.2 \pm 1.8) \text{cm} \cdot \text{s}^{-2}$$

不确定度取两位,测量值的有效数字的末位是和不确定度末位同一位的"2"。

(2) 实验后不计算不确定度时,测量结果有效数字位数只能按以下的规则粗略地确定。

① 加减运算后的有效数字　加减运算后的末位,应当和参加运算各数中最先出现的可疑位一致。

例如:

$$
\begin{array}{r}
2\,1\,3.2\,\underline{5} \\
1\,6.\underline{7} \\
+\quad 0.1\,2\,\underline{4} \\
\hline
2\,3\,0.\underline{0}\,7\,4
\end{array}
$$

结果为 230.1(数字下有横线的是可疑数,仍算有效数字)。

② 乘除运算后的有效数字　乘除运算后的有效数字位数,可估计为和参加运算各数中有效数字最少的相同。

例如:

$$325.78 \times 0.014\,5 \div 789.2 = 0.005\,99$$

以上介绍的规则只是有效数字计算的一般原则,在实验中,由于测量和计算时各种因素的影响,会有特殊情况。例如:

$$\begin{array}{r}
3\underline{1}.\underline{1} \\
\times \quad 4.\underline{1} \\
\hline
3\,1\,1 \\
+\,1\,2\,4\,4 \\
\hline
1\,2\,7.5\,1
\end{array}$$

结果：$3\underline{1}.\underline{1}\times4.\underline{1}=128$。

如果按照规则②，最后结果应该取两位有效数字（即 12），但这个结果是错误的。因为 12 中的 2 是进位得来的，是属于准确数字，不是可疑数字，所以首位数字相乘大于 10 的数，有效数字应多取一位。

③ 三角函数、对数值的有效数字　测量值 x 的三角函数或对数的位数，可由 x 函数值与 x 的末位增加 1 个单位后的函数值相比较来确定。

例如：$x=43°26'$，求 $\sin x$。

由计算器（或查表）求出

$$\sin 43°26'=0.687\,510\,098\,5$$
$$\sin 43°27'=0.687\,721\,305\,1$$

由此可知应取

$$\sin 43°26'=0.687\,5$$

（三）使用有效数字规则时应注意的事项

① 物理公式中的数值，不是实验测量值。例如，测量圆柱体的直径 d 和长度 L，求其体积 V，公式 $V=\dfrac{1}{4}\pi d^2 L$ 中的 $\dfrac{1}{4}$ 不是测量值，在确定 V 的有效数字位数时不必考虑 $\dfrac{1}{4}$ 的位数。

② 对数运算时，首位数不算有效数字。

③ 首位数是 8 或 9 的 N 位数值在乘除运算中，计算有效数字位数时，可多算一位。例如，$9.81\times16.24=159.3$，按 9.81 是三位有效数字，结果应取 159，但因为 9.81 的首位数是 9，可将 9.81 看作 4 位数，所以结果取 159.3。

④ 有多个数值参加运算时，在运算过程中应比按有效数字运算规则规定的位数多保留一位，以避免由于多次取舍引入计算误差，但运算最后仍应舍去。

例如：求 $3.144\times(3.615^2-2.684^2)\times12.39$。

$$3.144\times(3.615^2-2.684^2)\times12.39$$
$$=3.144\times(13.068-7.203\,\underline{9})\times12.39$$
$$=3.144\times5.684\times12.39=228.4$$

数字上有下画线的不是有效数字，运算过程中保留它是为了减少舍入误差，这样的数称为安全数字。

(四) 数值的修约规则

运算后的数值只保留有效数字,其他数字应舍去,要舍弃的数字的第一位应按如下修约规则处理。

① 开始要舍去的第一位数是 1、2、3、4 时就舍去;是 6、7、8、9 时,在舍去的同时进 1。

例如:将下列数保留三位小数:

$$2.143\ 46 \rightarrow 2.143$$
$$2.143\ 72 \rightarrow 2.144$$

② 要舍去的一位是 5,而保留的最后一位为奇数,则舍去 5 进 1,如果要保留的最后一位是偶数则舍去 5 不进位,但是 5 的下一位不是零时仍然要进位。

例如:将下列数保留三位小数:

$$2.143\ 50 \rightarrow 2.144$$
$$2.144\ 50 \rightarrow 2.144$$
$$2.144\ 51 \rightarrow 2.145$$

二、 误差的计算

理想的测量是获得被测量在测量条件下的真值,但是实际上在测量时,由于实验方法和计算器具的不完善,测量环境不理想、不确定,实验者在操作上和读取数值上不十分准确等原因,都将使测量值偏离真值,因而测量值不能准确表达真值。在报告被测量的测量结果时,因为报告的是被测量的近似值,所以应同时报告对它的可靠性的评价,即给出对此测量质量的指标。测量不确定度就是测量质量的指标,也即是对测量结果残存误差的评估。

测量值不等于真值,可以设想真值在测量值附近的一个量值范围内,测量不确定度就是评定作为测量质量指标的此量值范围。设测量值为 x,其测量不确定度为 u,则真值可能在量值范围$(x-u, x+u)$中。显然,若此量值范围较窄,则测量不确定度就越小,用测量值表示真值的可靠性就越高。

对测量不确定度的评定,常以估计标准偏差表示其大小,这时称其为标准不确定度。

由于测量有误差,因而才要评定不确定度。误差的来源不同,它对测量的影响也不同,从测量值来看其影响,表现可分为两类:一类是偶然效应引起的,使测量值分散开,例如用手控制停表测摆的周期,由于手的控制存在偶然性,所以每次测量值不会相同;另一类则是测量值恒定地向某一方向偏移,重复测量时,此偏移的方向和大小不变,例如用电压表测一电阻两端的电压,由于这时偶然性很弱,反复测量其值基本不变,当用更精密的电势差计测量时,可以得知电压计的示值有恒定的偏差,这是电压计的基本误差所致。这两类影响都给被测量引入了不确定度,都要评定其标准不确定度,但是评定的方法不同。

(一) 标准不确定度的 A 类评定

由于偶然效应,被测量 X 的多次重复测量值 $x_1,x_2,\cdots,x_n$ 是分散的,从分散的测量值出发,用统计的方法评定标准不确定度,就是标准不确定度的 A 类评定。

设 A 类标准不确定度为 $u_A(x)$,用统计方法求出平均值的标准偏差

$$s(\bar{x})=\sqrt{\frac{\sum(x_i-x)^2}{n(n-1)}}$$

A 类评定标准不确定度(又称标准不确定度的 A 类分量)就取为平均值的标准偏差,即

$$u_A(\bar{x})=s(\bar{x})$$

按误差理论的高斯分布,如果不存在其他误差影响,则量值范围$[\bar{x}-u_A(\bar{x})$,$\bar{x}+u_A(\bar{x})]$中包括真值的概率为 68.3%;如果扩大量值范围为$[\bar{x}-1.96\,u_A(\bar{x}),\bar{x}+1.96\,u_A(\bar{x})]$,则其中包括真值的概率为 95%。

(二) 标准不确定度的 B 类评定

若误差的影响仅仅是测量值向某一方向有恒定的偏离,则这时不能用统计的方法评定不确定度。这一类的评定就是 B 类评定。

B 类评定,有的依据计量仪器说明书或检定书,有的依据仪器的准确度等级,有的则粗略地依据仪器分度值或经验。从这些信息中可以获得极限误差 Δ(或容许误差,或示值误差),此类误差一般可视为均匀分布,而 $\Delta/\sqrt{3}$ 为均匀分布的标准差,则 B 类评定标准不确定度(又称标准不确定度的 B 类分量)为

$$u_B(x)=\Delta/\sqrt{3}$$

严格讲,从 Δ 求 $u_B(x)$ 的变换系数与实际分布有关,在此均近似按均匀分布处理。

【例1】 使用量程 0~300 mm、分度值 0.05 mm 的游标卡尺测量长度时,按国家计量技术规范 JJG 30—84,其示值误差在 0.05 mm 以内,即极限误差 $\Delta=0.05$ mm,则由游标卡尺引入的标准不确定度 $u_B(x)$ 为

$$u_B(x)=0.05\ \text{mm}/\sqrt{3}=0.029\ \text{mm}$$

【例2】 使用数字毫秒计测一时间间隔 t,按 JJG 602—89,其示值误差大 Δ 在 $\pm$(晶体频率准确度×时间间隔 t+1 个时标)范围内,频率准确度为 1×10^{-5}。

当 $t=2.157$ s 时,$\Delta=(1\times10^{-5}\times2.157+0.001)\text{s}\approx0.001$ s,则由数字毫秒计引入的标准不确定度 $u_B(x)$ 为

$$u_B(x)=0.001\ \text{s}/\sqrt{3}=0.000\ 58\ \text{s}$$

(三) 合成标准不确定度 $u_C(x)$ 或 $u_C(y)$

对一物理量测定之后,要计算测得值的不确定度,由于其测得值的不确定度来源不止一个,所以要合成其标准不确定度。

例如,用螺旋测微计测钢球的直径,不确定度的来源有:

① 重复测量读数(A 类评定);

② 螺旋测微计的固有误差(B 类评定)。

又如,用天平称一物体的质量,不确定度的来源有:

① 重复测量读数(A 类评定);

② 天平不等臂(B 类评定);

③ 砝码标称值的误差(B 类评定);(注:标称值指仪器上标明的量值。)

④ 空气浮力引入的误差(B 类评定)。

由不同来源分别评定的标准不确定度要合成为测得值的标准不确定度,首先应明确一点,作为标准不确定度,不论是 A 类评定还是 B 类评定,在合成时是等价的;其次是合成的方法,由于实际上各项误差的符号不一定相同,采用算术求和将可能增大合成值,因而采用均方根法。

对于直接测量,设被测量 X 的标准不确定度的来源有 k 项,则 x 的合成标准不确定度为

$$u_C(x) = \sqrt{\sum_{i=1}^{k} u^2(x_i)}$$

式中的 $u(x)$ 可以是 A 类评定或 B 类评定。

对于间接测量,设被测量 Y 由 m 个直接被测量 $x_1, x_2, \cdots, x_m$ 算出,它们的关系为 $y = y(x_1, x_2, \cdots, x_m)$,各 x_i 的标准不确定度为 $u(x_i)$,则 y 的合成标准不确定度为

$$u_C(y) = \sqrt{\sum_{i=1}^{m} \left(\frac{\partial y}{\partial x_i}\right)^2 u^2(x_i)}$$

式中,偏导数 $\frac{\partial y}{\partial x_i}$ 为传递系数。$\frac{\partial y}{\partial x_i}$ 的计算与 $\frac{dy}{dx}$ 的计算很相似,只是计算 $\frac{\partial y}{\partial x_1}$ 时把 x_1 以外的变量作为常量处理。对于幂函数 $y = A x_1^a \cdot x_2^b \cdot \cdots \cdot x_m^k$,由于

$$\frac{\partial y}{\partial x_1} = y\frac{a}{x_1}, \quad \frac{\partial y}{\partial x_2} = y\frac{a}{x_2}, \quad \cdots, \quad \frac{\partial y}{\partial x_m} = y\frac{a}{x_m}$$

所以 $u_C(y)$ 成为比较简单的形式,如下式:

$$u_C(y) = y\sqrt{\left[a\frac{u(x_1)}{x_1}\right]^2 + \left[a\frac{u(x_2)}{x_2}\right]^2 + \cdots + \left[a\frac{u(x_m)}{x_m}\right]^2}$$

(四) 测量结果的表示

$$Y = y \pm u_C(y)(单位)$$

或用相对不确定度 u_r,$u_r = u(y)/y$,则

$$Y = y(1 \pm u_r)(单位)$$

测量后,一定要计算不确定度,如果实验时间较少,不便于全面计算不确定度,那么对于偶然误差为主的测量情况,可以只计算 A 类不确定度作为总的不确定度,略去 B 类不

确定度;对于系统误差为主的测量情况,可以只计算 B 类不确定度为总的不确定度。

计算 B 类不确定度时,如果查不到该类仪器的容许误差,则可取 Δ 等于分度值,或某一估计值,但要注明。

(五) 不确定度计算举例

【例3】 用螺旋测微计测一铁球的直径 d。

测量记录:螺旋测微计(No.5310),零点读数为 -0.004 mm,测量数据见表 1-2-1。

表 1-2-1

d/mm	13.217	13.208	13.218	13.209
	13.215	13.207	13.213	13.215

$$\bar{d}=13.212\,7\,\text{mm}, \quad s=0.004\,2\,\text{mm}, \quad s(\bar{d})=0.001\,5\,\text{mm}$$
$$n=8, \quad G_n=2.03(G_n \text{ 为格罗布斯临界值})$$

可保留数据范围为
$$d \leqslant (13.212\,7+2.03 \times 0.004\,2)\text{mm}=13.221\,\text{mm}$$
$$d \leqslant (13.212\,7-2.03 \times 0.004\,2)\text{mm}=13.204\,\text{mm}$$

审查结果数据均可保留,零点修正后的测量结果为
$$d=[13.212\,7-(-0.004)]\text{mm}=13.216\,7\,\text{mm}$$

不确定度来源:

① 多次测量 $u_A(d)=0.001\,5$ mm;

② 螺旋测微计误差 $u_B(d)=\Delta/\sqrt{3}=0.004\,\text{mm}/\sqrt{3}=0.002\,3$ mm。

合成标准不确定度
$$u_C(d)=\sqrt{0.001\,5^2+0.002\,3^2}\,\text{mm}=0.002\,7\,\text{mm}$$

测量结果
$$d=(13.217 \pm 0.003)\text{mm}$$

【例4】 用单摆测重力加速度 g。

设摆长为 l,摆动 n 次的时间为 t,则 $g=4\pi^2 l/(t/n)^2$。

测量记录:用钢卷尺测摆长为 $0.972\,2$ m(测一次);用游标卡尺测摆球直径为 1.265 cm(测一次)。摆动 50 次时间为 t,停表精度为 0.1 s,摆幅小于 $3°$,测量数据见表 1-2-2。

表 1-2-2

t/s	99.32	99.35	99.26	99.22

$$l=0.972\,2\,\text{m}+0.011\,265\,\text{m}/2=0.978\,52\,\text{m}$$
$$t=99.287\,5\,\text{s}, \quad s(t)=0.058\,\text{s}, \quad s(\bar{t})=0.029\,\text{s}$$

按格罗布斯判断审查 t 值均可保留。

$$g = [4\pi^2 \times 0.978\ 52/(99.287\ 5/50)^2]\ \text{m} \cdot \text{s}^{-2} = 9.796\ 7\ \text{m} \cdot \text{s}^{-2}$$

不确定度的计算：

① l 的标准不确定度 $u(l)$。来源于钢卷尺（参照 JJG 602—89），$\Delta = 0.5$ mm，

$$u_A(l) = 0.5\ \text{mm}/\sqrt{3} = 0.29\ \text{mm}$$

来源于目测 l，估计为 $\Delta = 0.5$ mm，

$$u_B(l) = 0.5\ \text{mm}/\sqrt{3} = 0.29\ \text{mm}$$

游标卡尺引入的不确定度较小，略去不计，则

$$u_C(l) = \sqrt{0.29^2 + 0.29^2}\ \text{mm} = 0.41\ \text{mm}$$

② t 的标准不确定度 $u(t)$。重复测量

$$u_A(t) = 0.029\ \text{s}$$

秒表引入的（参照 JJG 107—83）$\Delta = 0.3$ s，

$$u_B(t) = 0.3\ \text{s}/\sqrt{3} = 0.17\ \text{s}$$

则

$$u_C(t) = \sqrt{0.029^2 + 0.17^2}\ \text{s} = 0.17\ \text{s}$$

③ 重力加速度 g 的标准不确定度 $u_C(g)$ 为

$$u_C(g) = g\ \sqrt{(0.000\ 41/0.978\ 52)^2 + (2 \times 0.17/99.28)^2}\ \text{m} \cdot \text{s}^{-2} = 0.03\ \text{m} \cdot \text{s}^{-2}$$

测量结果

$$g = (9.80 \pm 0.03)\text{m} \cdot \text{s}^{-2}$$

由摆的幅角、锤的直径、摆线质量及空气浮力等项引入的不确定度较小，略去不计。

物理实验时要对一些物理量进行测量。各被测量在实验当时条件下均有不以人的意志为转移的真实大小，称此值为被测量的真值。测量的理想结果是真值，但它是不能确知的，因为，首先测量仪器只能准确到一定程度；其次有环境条件的影响，并且观测者操作和读数不能十分准确，理论推导也有近似性，所以测得值和真值总是不一致的。定义测得值减去真值的差为测得值的误差，即

测得值 (x) － 真值 (a) ＝ 误差 (ε)

误差 ε 是一代数值，当 $x \geqslant a$ 时，$\varepsilon \geqslant 0$；当 $x < a$ 时，$\varepsilon < 0$。由于真值是不能确知的，所以测得值的误差也不能确切知道，在此情况下，测量的任务是：

① 给出被测量真值的最佳估计值；

② 给出真值最佳估计值的不确定度（可靠程度的估计）。

关于什么是最佳估计值，留到后面去讨论，但是可以想到最佳估计值必定误差较小。为了减小误差就要分析误差的来源，实际上任何测量的误差都是多种因素引入误差的综合效应。下面以用单摆测重力加速度为例做些分析。

物理理论中的单摆，是用一无质量、无弹性的线挂起一质点，在摆角接近零时，摆

长 l 和周期 T 之间存在 $T=2\pi\sqrt{l/g}$ 的关系,其中 g 为当地的重力加速度。

在用单摆测重力加速度的过程中,误差的来源大致有如下几个方面:

① 米尺和停表本身不准确;

② 对仪器的操作不准确;

③ 仪器读数不准确;

④ 摆线质量不为零;

⑤ 摆锤体积不为零;

⑥ 摆角大小不为零;

⑦ 存在空气浮力和阻力;

⑧ 支点状态不理想;

⑨ 支架振动或空气流动。

对误差的来源可以概括为五个方面:理论、仪器、实验装置、实验条件及观察者和监视器。

在相同条件下的重复测量中,所得测量值一般不尽相同,这表示每次测量的误差不同,并且在测量之前不可预知测量值是偏大些还是偏小些。例如用手按秒表测摆的振动周期,每次出现不尽相同的情形。这是偶然因素造成的,这一类误差称为偶然误差。

还有如下的不同的测量例子:

① 用一块 2.5 级 0～1 A 的安培表测一回路的电流为 0.73 A,而用另一块 0.5 级 0～1 A 的安培表测同一回路的电流为 0.716 A;

② 用一天平称一物体质量,物体在左盘,砝码在右盘,平衡时,砝码值为 74.251 9 g,物体与砝码交换位置后测得值为 74.250 1 g;

③ 测一单摆的振动周期 T,当摆的最大摆角在 5°附近时测得 $T_1=1.983$ s,摆角达 10°附近时测得 $T_2=1.987$ s。

上述各项测量值的差异在重复测量时依然不变,这表示误差的符号和大小是恒定的,此类误差称为系统误差。

测量值的误差均同时包含偶然误差和系统误差,研究误差的目的是:

① 尽量减小测量值中的误差;

② 对残存的误差的大小给出某种估计值。

设被测量 X 的测量值为 x,其真值为 a,误差 $\varepsilon=x-a$,ε 与 a 的比值 $\varepsilon_r=\varepsilon/a$ 称为相对误差,对应 ε_r 也称 ε 为绝对误差。但应注意,绝对误差和误差绝对值 $|\varepsilon|$ 不同,实际上绝对误差 ε 与真值 a 不可确知,后面将讨论对它作某种估计。

过失误差是由于实验者使用仪器的方法不正确、实验方法不合理、粗心大意、过度疲劳、记错数据等引起的。这种误差是人为的,只要实验者采取严谨认真的态度,具有一丝不苟的作风,过失误差是可以避免的。

（六）算术平均值与误差的估算

1. 单次测量的误差估算

在物理实验中，常常由于条件不许可，或测量准确度不高等原因，对一个物理量的直接测量只进行了一次；对于偶然误差很小的情况，直接测量可以只进行一次，这称为单次直接测量。其误差可以用仪器误差 $\Delta_仪$ 作为测量的误差。

一般仪器的仪器误差在出厂检定书上或仪器上会直接注明。对于只标出准确度等级的仪器，其仪器误差由相应的误差公式给出。如果上述两者都没有注明，则可取仪器最小分度的一半作为仪器误差 $\Delta_仪$，对于不可估读的仪器（如：秒表、数字式仪表）则取其最小分度值作为仪器误差 $\Delta_仪$。

单次测量的结果表示为

$$x = x_测 \pm \Delta_仪（单位）$$

若用仪器的标准误差，则测量结果可表示为

$$x = x_测 \pm \sigma_仪（单位）$$

式中

$$\sigma_仪 = \frac{\Delta_仪}{\sqrt{3}}$$

这里 $x_测$ 是单次测量值，也称单次测量最佳值。

2. 多次测量的平均值及误差

为了减小偶然误差，在可能的情况下，总是采用多次测量，将各次测量的算术平均值作为测量的结果。如果在相同条件下对某物理量 x 进行了 n 次测量，其测量值分别为 $x_1, x_2, x_3, \cdots, x_n$，用 $\bar{x}$ 表示平均值，则

$$\bar{x} = \frac{x_1 + x_2 + x_3 + \cdots + x_n}{n} = \frac{1}{n}\sum_{i=1}^{n} x_i$$

根据误差的统计理论，在一组 n 次测量的数据中，算术平均值 $\bar{x}$ 最接近于真值 a，称为测量的最佳值或接近值。当测量次数无限增加时，算术平均值将无限接近于真值。在这种情形下，测定值的误差可用算术平均偏差或均方根偏差（标准偏差）表示。下面分别介绍。

（1）算术平均偏差。设各测量值与平均值的偏差为 $d_i, i = 1, 2, 3, \cdots, n$，即

$$d_1 = x_1 - \bar{x}, d_2 = x_2 - \bar{x}, d_3 = x_3 - \bar{x}, \cdots, d_n = x_n - \bar{x}$$

则算术平均偏差的定义是

$$\Delta x = \frac{1}{n}(|d_1| + |d_2| + |d_3| + \cdots + |d_n|) = \frac{1}{n}\sum_{i=1}^{n} |d_i|$$

（2）均方根偏差（标准偏差）。把各次测量值 x_i 与平均值 $\bar{x}$ 的偏差仍记为 d_i，$i = 1, 2, 3, \cdots, n$，再取其平方的平均值然后开方，称为均方根偏差或标准偏差，即均方根偏差的定义是

$$\sigma = \sqrt{\frac{1}{n}\sum_{i=1}^{n} d_i^2} = \sqrt{\frac{1}{n}\sum_{i=1}^{n}(x_i - \bar{x})^2}$$

算术平均偏差与均方根偏差都可作为测量值误差的量度,它们都表示在一组多次测量的数据中各个数据之间分散的程度。如果各个数据之间差别较大,那么,其算术平均偏差和均方根偏差也都较大,这说明测量不精确,偶然误差较大。

在上述两种偏差的计算方法中,均方根偏差与偶然误差理论中的高斯误差分布函数的关系更为直接和简明,因此在正式的误差分析和计算中都采用均方根偏差作为偶然误差大小的量度。这是目前通用的,所以又得到标准偏差的名称。但对于初学者来说,主要是建立误差的概念,以及对实验进行粗略的、简明的分析,因此可采用算术平均偏差来进行误差的分析和运算,这样要简单得多。

严格来讲,误差是测量值与真值之差,而测量值与平均值之差称为偏差,这两者是有差别的。当测量次数很多时,多次测量的平均值最接近于真值,因此各次测量值与 $\bar{x}$ 的偏差也就更接近于它们与真值的误差。这样,我们就不去区分偏差与误差的细微区别,分别把标准偏差称为标准误差,把算术平均偏差称为算术平均误差。最后,我们把多次测量的结果表示为

$$x = \bar{x} \pm \Delta x (单位) \quad 或 \quad x = \bar{x} \pm \sigma (单位)$$

式中,x 为测量值;$\bar{x}$ 为多次测量数据的算术平均值,代表最佳测量值;Δx 为算术平均误差;σ 为标准误差,代表多次测量数据的分散程度;“±”表示每次测量值可能比 $\bar{x}$ 大一些,也可能比 $\bar{x}$ 小一些。

(3)绝对误差与相对误差。上式中的 Δx 或 σ 是以误差的绝对数值来表示测定值的误差,称为绝对误差。但为了评价一个测量结果的优劣,还需要看测量值本身的大小。为此,引入了相对误差的概念。

相对误差的定义为

$$E_r = \frac{\Delta x}{x}$$

相对误差也可用百分数来表示,即

$$E_r = \frac{\Delta x}{x} \times 100\%$$

故又称百分误差,一般取一位有效数字。为了说明相对误差,下面举一个例子。假如测得两个物体的长度为 $l_1 = (23.50 \pm 0.03) \mathrm{cm}$,$l_2 = (2.35 \pm 0.03) \mathrm{cm}$,则其相对误差分别为

$$E_{r1} = \frac{0.03}{23.50} \times 100\% = 0.13\% \approx 0.2\%$$

$$E_{r2} = \frac{0.03}{2.35} \times 100\% = 1.3\% \approx 2\%$$

从绝对误差来看,两者相等,但从相对误差来看,后者比前者大 10 倍。我们自然认为第一个测量更准确些。

【例 5】 将某一物体的长度测量 5 次,得到的测量值分别为

$x_1 = 3.41 \mathrm{cm}$, $x_2 = 3.43 \mathrm{cm}$, $x_3 = 3.45 \mathrm{cm}$, $x_4 = 3.44 \mathrm{cm}$, $x_5 = 3.42 \mathrm{cm}$

则平均值为

$$\bar{x} = \frac{1}{5} \times (3.41 + 3.43 + 3.45 + 3.44 + 3.42)\,\text{cm} = 3.43\ \text{cm}$$

各次偏差的绝对值为

$$|d_1| = |3.41 - 3.43|\,\text{cm} = 0.02\ \text{cm}$$
$$|d_2| = |3.43 - 3.43|\,\text{cm} = 0.00\ \text{cm}$$
$$|d_3| = |3.45 - 3.43|\,\text{cm} = 0.02\ \text{cm}$$
$$|d_4| = |3.44 - 3.43|\,\text{cm} = 0.01\ \text{cm}$$
$$|d_5| = |3.42 - 3.43|\,\text{cm} = 0.01\ \text{cm}$$

算术平均偏差为

$$\Delta x = \frac{\sum_{i=1}^{5} |d_i|}{n} = \frac{1}{5} \times (0.02 + 0.00 + 0.02 + 0.01 + 0.01)\,\text{cm} \approx 0.01\ \text{cm}$$

测定值可表示为

$$x = \bar{x} \pm \Delta x = (3.43 \pm 0.01)\,\text{cm}$$

相对误差为

$$E_r = \frac{\Delta x}{x} \times 100\% = \frac{0.01}{3.43} \times 100\% = 0.3\%$$

3. 间接测量的误差计算

间接测得量是通过一定的公式计算出来的，既然公式中所包含的直接测得量都是有误差的，那么间接测得量也必然有误差。

设 N 为间接测得量，而 $A, B, C, \cdots$ 为直接测得量，它们之间满足一定的关系，即 $x = f(A, B, C, \cdots)$。如果各直接测得量可以表示为

$$A = \bar{A} \pm \Delta A, \quad B = \bar{B} \pm \Delta B, \quad C = \bar{C} \pm \Delta C, \quad \cdots,$$

将这些测得结果代入计算公式，便可求得

$$x = \bar{x} \pm \Delta x, \quad E_r = \frac{\Delta x}{x}$$

式中，$\bar{x} = f(\bar{A}, \bar{B}, \bar{C}, \cdots)$ 为直接测得量的最佳值，当测量次数无限增多时，此最佳值与 x 的算术平均值是一致的；Δx 为间接测得量的算术平均误差，它是通过各直接测得量 $\bar{A}, \Delta A, \bar{B}, \Delta B$ 等综合计算的结果。计算方法如下：

（1）加法运算中的误差（和的误差）

若

$$x = A + B + C + \cdots$$

则

$$\bar{x} \pm \Delta x = (\bar{A} \pm \Delta A) + (\bar{B} \pm \Delta B) + (\bar{C} \pm \Delta C) + \cdots$$

容易看出，平均值为

$$\bar{x} = \bar{A} + \bar{B} + \bar{C} + \cdots$$

绝对误差为

$$\Delta x = \pm \Delta A \pm \Delta B \pm \Delta C \pm \cdots$$

由于 $A,B,C,\cdots$ 都是独立的,它们的绝对误差可能为正值,也可能为负值,在最不利的情况下,可能出现的最大误差为 $\Delta x = \Delta A + \Delta B + \Delta C + \cdots$。我们规定最大误差为间接测量的误差,于是,相对误差为

$$E_{\mathrm{r}} = \frac{\Delta x}{x} = \frac{\Delta A + \Delta B + \Delta C + \cdots}{\bar{A} + \bar{B} + \bar{C} + \cdots}$$

（2）减法运算中的误差（差的误差）

若

$$x = A - B - C - \cdots$$

则

$$\bar{x} \pm \Delta x = (\bar{A} \pm \Delta A) - (\bar{B} \pm \Delta B) - (\bar{C} \pm \Delta C) - \cdots$$

平均值为

$$\bar{x} = \bar{A} - \bar{B} - \bar{C} - \cdots$$

绝对误差为

$$\Delta x = \pm \Delta A \mp \Delta B \mp \Delta C \mp \cdots$$

按前面所述的理由,在最不利的情况下,取

$$\Delta x = \Delta A + \Delta B + \Delta C + \cdots$$

故相对误差为

$$E_{\mathrm{r}} = \frac{\Delta x}{x} = \frac{\Delta A + \Delta B + \Delta C + \cdots}{\bar{A} - \bar{B} - \bar{C} - \cdots}$$

由此可见,和、差运算的绝对误差等于各直接测得量的绝对误差之和。

（3）乘法运算中的误差（积的误差）

若

$$x = A \cdot B$$

则

$$\bar{x} \pm \Delta x = (\bar{A} \pm \Delta A)(\bar{B} \pm \Delta B)$$

平均值为

$$\bar{x} = \bar{A} \cdot \bar{B}$$

绝对误差为

$$\Delta x = \bar{A}(\pm \Delta B) + \bar{B}(\pm \Delta A) + (\pm \Delta A)(\pm \Delta B)$$

由于 $(\pm \Delta A)(\pm \Delta B)$ 为二级小量,可以忽略不计（以后类同）,所以

$$\Delta x = \bar{A}(\pm \Delta B) + \bar{B}(\pm \Delta A)$$

在最不利的情况下,取 $\Delta x = \bar{A} \cdot \Delta B + \bar{B} \cdot \Delta A$,于是,相对误差为

$$E_r = \frac{\Delta x}{x} = \frac{\bar{A} \cdot \Delta B + \bar{B} \cdot \Delta A}{\bar{A} \cdot \bar{B}} = \frac{\Delta A}{\bar{A}} + \frac{\Delta B}{\bar{B}}$$

（4）除法运算中的误差（商的误差）

若

$$x = A/B$$

则

$$\bar{x} \pm \Delta x = (\bar{A} \pm \Delta A)/(\bar{B} \pm \Delta B)$$

$$= (\bar{A} \pm \Delta A)(\bar{B} \mp \Delta B)/(\bar{B} \pm \Delta B)(\bar{B} \mp \Delta B)$$

$$= (\bar{A} \cdot \bar{B} \pm \bar{B} \cdot \Delta A \mp \bar{A} \cdot \Delta B)/(\bar{B}^2 - \Delta B^2)$$

$$= (\bar{A} \cdot \bar{B} \pm \bar{B} \cdot \Delta A \mp \bar{A} \cdot \Delta B)/\bar{B}^2 \quad （忽略 \Delta B^2 项）$$

平均值为

$$\bar{x} = \bar{A} \cdot \bar{B}/\bar{B}^2 = \bar{A}/\bar{B}$$

绝对误差为

$$\Delta x = (\pm \bar{B} \cdot \Delta A \mp \bar{A} \cdot \Delta B)/\bar{B}^2$$

在最不利的情况下，取 $\Delta x = (\bar{B} \cdot \Delta A + \bar{A} \cdot \Delta B)/\bar{B}^2$，相对误差为

$$E_r = \frac{\Delta x}{x} = \left(\frac{\bar{B} \cdot \Delta A + \bar{A} \cdot \Delta B}{\bar{B}^2} \right) \cdot \left(\frac{\bar{A}}{\bar{B}} \right)^{-1}$$

不难证明，乘、除运算中的相对误差表达式可推广到任意个直接测得量的情况，即

$$E_r = \frac{\Delta A}{\bar{A}} + \frac{\Delta B}{\bar{B}} + \frac{\Delta C}{\bar{C}} + \cdots$$

由此可见，乘、除运算的相对误差等于各直接测得量的相对误差之和。

从以上的结论还可以看到：当间接测得量的计算公式中只含加、减运算时，先计算绝对误差，后计算相对误差较为方便；当计算公式中含有乘、除、乘方或开方运算时，先计算相对误差，后计算绝对误差较为方便。

当然，一切运算关系（函数）的误差计算公式也均可用微分法求得。

因为 $x = f(A, B, C, \cdots)$，而 $A, B, C, \cdots$ 均为对立的物理量，所以将其微分，则有

$$dx = \frac{\partial f}{\partial A} dA + \frac{\partial f}{\partial B} dB + \frac{\partial f}{\partial C} dC + \cdots$$

当 $A, B, C, \cdots$ 有微小的变化 $dA, dB, dC, \cdots$ 时，x 变为 dx，通常误差小于测得值，把 $dA, dB, dC, \cdots$ 看作误差，分别用 $\Delta A, \Delta B, \Delta C, \cdots$ 代替，又考虑误差出现最大值，故 x 的绝对误差公式为

$$\Delta x = \left| \frac{\partial f}{\partial A} \right| \Delta A + \left| \frac{\partial f}{\partial B} \right| \Delta B + \left| \frac{\partial f}{\partial C} \right| \Delta C + \cdots$$

若把函数关系式 $x=f(A,B,C,\cdots)$ 取对数后再求微分,则有

$$\ln x=\ln f(A,B,C,\cdots)$$

$$\frac{\mathrm{d}x}{x}=\frac{\partial \ln f}{\partial A}\mathrm{d}A+\frac{\partial \ln f}{\partial B}\mathrm{d}B+\frac{\partial \ln f}{\partial C}\mathrm{d}C+\cdots$$

把 $\mathrm{d}x,\mathrm{d}A,\mathrm{d}B,\mathrm{d}C,\cdots$ 改写成 $\Delta x,\Delta A,\Delta B,\Delta C,\cdots$,则很容易得到相对误差公式

$$\frac{\Delta x}{x_{测}}=\left|\frac{\partial \ln f}{\partial A}\right|\Delta A+\left|\frac{\partial \ln f}{\partial B}\right|\Delta B+\left|\frac{\partial \ln f}{\partial C}\right|\Delta C+\cdots$$

第三节　数据处理

数据处理的含义是从获得的数据到得到实验结果的加工过程。前面已经逐一介绍了实验数据的记录、计算、误差的计算以及实验结果的表示方法。下面介绍其他常用的数据处理方法,如列表法、作图法、逐差法以及最小二乘法。

一、列表法

列表法是数据处理中最常用的一种,就是将大量的实验数据按照某种规则、次序列成表格,根据数据的对应关系,我们就能容易地看出实验的某种规律以及检查实验中出现的问题。列表法应遵循:

① 表格上方应注明表格名称,表内标题栏应有物理量的名称和单位。

② 表格要简单明了,分类清楚,便于查阅、分析和归纳。

③ 表格中的数据要用正确的有效数字表示。

【例6】 用伏安法测量电阻。

电压表:等级为 1.0 级,量程为 15 V,内阻为 15 kΩ。

电流表:等级为 1.0 级,量程为 20 mA,内阻为 1.20 Ω。

测量数据见表 1-3-1。

表 1-3-1

测量序号 k	电压 U_k/V	电流 I_k/mA
1	0	0
2	2.00	3.85
3	4.00	8.15
4	6.00	12.05
5	8.00	15.80
6	10.00	19.90

二、　作图法

在研究两个物理量之间的关系时,把测得的一系列相互对应的数据及变化的情况用曲线表示出来,这就是作图法。

(一) 作图法的优点

① 能够形象、直观、简便地显示出物理量的相互关系以及函数的极值、拐点、突变或周期等特征。

② 具有取平均的效果。因为每个数据都存在测量不确定度,所以曲线不可能通过每一个测量点。但对于曲线而言,测量点是靠近或匀称分布的,故曲线具有多次测量取平均的效果。

③ 有助于发现测量中的个别错误数据。虽然曲线不可能通过所有的数据点,但不在曲线上的点都应是靠近曲线才合理。如果有一个点离曲线明显地远了,说明这个数据错了,要分析产生错误的原因,必要时可重新测量或剔除该测量点的数据。

④ 作图法是一种基本的数据处理方法,不仅可以用于分析物理量之间的关系,求经验公式,还可以求物理量的值。但受图纸大小的限制,一般只有 3～4 位有效数字,且连线具有较大的主观性。所以用作图法求值时,一般不再计算不确定度。

在报告实验结果时,一条正确的曲线往往胜过上百个文字的描述,它能使实验中各物理量间的关系一目了然,所以只要有可能,实验结果就要用曲线表达出来。

(二) 作图规则

① 按列表规则,将作图的有关数据列成完整的表格,注意名称、符号及有效数字的规范使用。

② 选用坐标纸,作图必须使用坐标纸。根据物理量的函数关系选择适合的坐标纸,最常用的是直角坐标纸,此外还有对数坐标纸、半对数坐标纸、极坐标纸等。本节以直角坐标纸为例介绍作图法,其他坐标可参考本节介绍的原则进行。

坐标纸的大小要根据测量数据的有效位数和实验结果的要求来决定,原则是以不损失实验数据的有效数字和能包括全部实验点作为最低要求,即坐标纸的最小分格与实验数据的最后一位准确数字相当。在某些情况下,例如数据的有效位太少使得图形太小,这时还要适当放大以便于观察,同时也有利于避免由于作图而引入附加的误差;若有效位数太多,又不宜把该轴取得过长,则应适当牺牲有效位,以求纵横比适度(一般为 $1/2$～2)。

③ 标出坐标轴的名称和标度,通常的横轴代表自变量,纵轴代表因变量,在坐标轴上标明所有物理量的名称(或符号)和单位,标注的方法与表头相同,即"量符号(可用汉字)/单位符号"。横轴和纵轴的标度比例可以不同,其交点的标度值不一定是零。选择原点的标度值来调整图形的位置,使曲线不偏于坐标的一边或一角;选择适当的分度比例来调整图形的大小,使图线充满图纸。分度比例要便于换算和描点,例

如,不要用 4 个格代表 1(单位)或 1 个格代表 3(单位),一般取 1,2,5,10 等,标度值按整数等间距(间隔不要太蔬或太密,以便于读数)标在坐标轴上。

④ 描点和连线,根据测量数据,用削尖的铅笔在坐标图纸上用"+"或"×"标出各测量点,使各测量数据坐落在"+"或"×"的交叉点上。同一图上的不同曲线应当用不同的符号,如"+""×""△""○""◎"等。

用透明的直尺或曲线板把数据点连成直线或光滑曲线。连线应反映出物理量关系的变化趋势,而不应强求通过每一个数据点,但应使在曲线两旁的点有较匀称的分布,使曲线有取平均的作用。用曲线板连线的要领是:看准四个点,连中间两点间的曲线,依次后移,完成整个曲线。

⑤ 在图上空旷位置写出完整的图名、绘制人姓名及绘制日期,所标文字应当用仿宋体。

（三）求直线的斜率和截距

直线时,其方程具有形式 $y=b_0+b_1x$,只要求出斜率 b_1 和截距 b_0,就可以得到关于物理量 x、y 的经验公式。在许多实验中也通过求斜率或截距来求得物理量。

【例7】 测定有一固定转轴的刚体的转动惯量 J,该刚体受到动力矩 M 和阻力矩 M_μ 的作用,根据转动惯量定律 $M-M_\mu=J\beta$,写成 $M=M_\mu+J\beta$,设阻力矩为常量,这就是一个直线方程。改变动力矩 M,测得一系列相应的角加速度 β,作 M-β 曲线,求出斜率和截距,就得到了转动惯量和阻力矩。

1. 求斜率

直线方程为

$$y=b_0+b_1x$$

斜率为

$$b_1=\frac{y_2-y_1}{x_2-x_1}$$

在曲线上取 $p_1(x_1,y_1)$ 和 $p_2(x_2,y_2)$ 两点代入式中,即可求得斜率。求斜率时须注意:

① p_1、p_2 必须是直线上的点,且不可取测量点。

② p_1、p_2 在测量范围以内,且相距应尽量远。

③ p_1、p_2 用不同于作图描点的符号标出,例如"△"或"□",标上字母符号 p_1 或 p_2 及坐标值。读数和计算时注意正确使用有效数字。

④ 在实验报告上写出计算斜率的完整过程。

2. 求截距

截距 b_0 是对应于 $x=0$ 的 y 值。在曲线上另取一点 $p_3(x_3,y_3)$,将 x_3、y_3 的值代入直线方程,求得 $b_0=y_3-\dfrac{y_2-y_1}{x_2-x_1}x_3$。

如果作图时 x 轴标度从零开始,截距 b_0 也可以从图上直接读出。

【**例8**】 以伏安法测电阻为例,用作图法求电阻。测量数据见表1-3-2。

表1-3-2

测量序号(k)	电压 U_k/V	电流 I_k/mA
1	0	0
2	2.00	3.85
3	4.00	8.15
4	6.00	12.05
5	8.00	15.80
6	10.00	19.90

以横轴为电压,纵轴为电流建立平面直角坐标系,如图1-3-1所示。

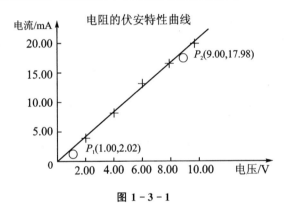

图1-3-1

按照表1-3-2中的数据,用符号"+"描出各测量点,然后用透明的直尺画一条直线,连线时注意使6个测量点靠近直线且匀称分布在该直线两侧。

在曲线上方空白处写上图名"电阻的伏安特性曲线"。求斜率,在曲线上取两点用"○"标出,并在旁边写上符号和坐标值 $P_1(1.00,2.02)$ 和 $P_2(9.00,17.98)$。

斜率为

$$b_1 = \frac{y_2-y_1}{x_2-x_1} = \frac{17.98-2.02}{9.00-1.00} = 1.995$$

电阻为

$$R = \frac{1}{b_1} = \frac{1}{1.995}\ \text{k}\Omega = 0.501\ \text{k}\Omega$$

三、 逐差法

逐差法是物理实验数据处理的常用方法之一,一般用于处理等间距线性变化测量得到的数据。根据误差理论,为了减小测量误差,我们通常要进行多次测量,但是在等间距线性变化测量中,如果使用一般的求平均值的方法,会发现只有第一个和最后一个数据有作用,中间的全部被抵消。这样就不能反映出多次测量能减小实验误差的特点了。

我们以最简单的函数 $y=bx+a(a,b$ 均为常数)为例来说明逐差法处理数据的过程。

测量次数 $n=10$,数据为

$$x_1,x_2,\cdots,x_{10}$$

$$y_1,y_2,\cdots,y_{10}$$

根据求平均值的定义,可得

$$y_2-y_1=b(x_2-x_1)$$

$$y_3-y_2=b(x_3-x_2)$$

$$\vdots$$

$$y_{10}-y_9=b(x_{10}-x_9)$$

$$\Delta y=\frac{\Delta y}{n-1}=\frac{b\Delta x}{n-1}$$

$$\Delta y=\frac{y_{10}-y_1}{9}=\frac{b(x_{10}-x_1)}{9}$$

可以看出,虽测了 10 个数据,但只有第 1 位及第 10 位两个数据起作用,中间的数据都被抵消了。

为了保持多次测量可以减小测量误差的优点,需要在测量数据的处理方法上做一点改变,通常,将以上 10 个数据 y_i 和 x_i 各分成两大组,再逐差:

$$y_1,y_2,y_3,y_4,y_5 \qquad x_1,x_2,x_3,x_4,x_5$$

$$y_6,y_7,y_8,y_9,y_{10} \qquad x_6,x_7,x_8,x_9,x_{10}$$

对应项的差为

$$\Delta y_{61}=y_6-y_1 \qquad \Delta x_{61}=x_6-x_1$$

$$\Delta y_{72}=y_7-y_2 \qquad \Delta x_{72}=x_7-x_2$$

$$\Delta y_{83}=y_8-y_3 \qquad \Delta x_{83}=x_8-x_3$$

$$\Delta y_{94}=y_9-y_4 \qquad \Delta x_{94}=x_9-x_4$$

$$\Delta y_{105}=y_{10}-y_5 \qquad \Delta x_{105}=x_{10}-x_5$$

再取平均值

$$\Delta\bar{y}=\frac{\Delta y_{61}+\Delta y_{72}+\Delta y_{83}+\Delta y_{94}+\Delta y_{105}}{5}$$

$$\Delta\bar{x}=\frac{\Delta x_{61}+\Delta x_{72}+\Delta y_{83}+\Delta x_{94}+\Delta x_{105}}{5}$$

即

$$\Delta\bar{y}=b\Delta\bar{x}$$

如果将符号"k"合成两组数据中的个数,$k=n/2$,则可得平均增量的公式

$$\Delta\bar{y} = \frac{\displaystyle\sum_{i=1}^{k}(y_{i+k} - y_i)}{k}$$

$$\Delta\bar{x} = \frac{\displaystyle\sum_{i=1}^{k}(x_{i+k} - x_i)}{k}$$

由此可见,逐差法可以充分利用所有实验数据,能很好地估算最佳值、测量误差以及不确定度,且确定 a、b,求得 y 与 x 的解析式。

【例 9】 仍以伏安法测电阻为例,用逐差法求电阻 R。

$I = b_0 + b_1 U$,$R = 1/b_1$;共 6 项,$k = n/2 = 3$,k 表示两组数据中每组数据的个数。

故隔 3 项逐差:$\delta_3 I_k = I_{k+3} - I_k$。测量数据如表 1-3-3 所列。

表 1-3-3

序号 k	I_k/mA	I_{k+3}/mA	$\delta_3 I_k$/mA
1	0	12.05	12.05
2	3.85	15.80	11.95
3	8.15	19.90	11.75
			平均 $\overline{\delta_{3l}} = 11.917$

求系数 b_1:

$$b_1 = \frac{\overline{\delta_3 I}}{l(U_2 - U_1)} = \frac{11.917}{6} = 1.986$$

求被测量 R:

$$R = \frac{1}{b_1} = 0.503\ 5\ \text{k}\Omega = 503.5\ \Omega$$

求 b_1 的标准误差:

$$s(\overline{\delta_3 I}) = \sqrt{\frac{\displaystyle\sum_{k=1}^{3}(\delta_3 I_k - \overline{\delta_3 I})^2}{l(l-1)}} = 0.088\ 2$$

$$s(b_1) = \frac{s(\overline{\delta_3 I})}{l(U_2 - U_1)} = \frac{0.088\ 2}{3 \times 2} = 0.014\ 7$$

求 R 的标准误差:

$$\frac{s(R)}{R} = \frac{s(b_1)}{b_1} = \frac{0.014\ 7}{1.986} = 0.007\ 40$$

$$s(R) = 503.5\ \Omega \times 0.740\% = 3.7\ \Omega$$

四、 最小二乘法

图解法比较直观,计算也较简单,但是作图有一定的随意性,结果的误差也不好估算。因此图解法所得到的线性拟合往往不是最佳的,而且使用图解法处理数据,一般不计算误差。

由一组实验数据找出一条最佳的拟合曲线,通常采用最小二乘法,是解决方程回归问题的常用的数值方法。最小二乘法的运算量很大,但随着计算机的广泛应用,使用最小二乘法来处理数据就方便多了。下面简要介绍最小二乘法原理。

假定变量 x 和 y 之间存在着线性相关的关系,回归方程为一条直线

$$y = b_0 + b_1 x$$

由实验测得的一组数据是 x_k、$y_k (k = 1, 2, \cdots, n)$,我们的任务是根据这组数据拟合出上式的直线,即确定其系数 b_1、b_0。

我们讨论最简单的情况,假设:

① 系统误差已经修正;

② n 次测量的条件相同,所以其误差符号正态分布,这样才可以使用最小二乘法原理;

③ 只有 y_k 存在误差,即把误差较小的作为变量 x,使误差的计算变得简单。

由于测量的分散性,实验点不可能都落在一条直线上,如图 1-3-2 所示。

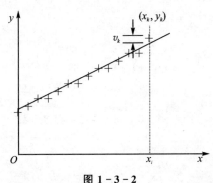

图 1-3-2

相对于我们拟合的直线,某个测量值 y_k 在 y 方向上偏离了 v_k,v_k 就是残差,且

$$v_k = y_k - y = y_k - (b_0 + b_1 x_k)$$

联想到标准偏差公式,如果 $\sum\limits_{k=1}^{n} v_k^2$ 的值小,那么标准偏差 $s(y)$ 就小,能够使 $s(y)$ 最小的直线就是我们要拟合的直线,这就是最小二乘法原理。

最小二乘法原理:最佳值乃是能够使各次测量值残差的平方和为最小值的那个值。

可见,b_0 和 b_1 决定 v_k 的大小,能够使 $\sum\limits_{k=1}^{n} v_k^2$ 为最小值的 b_0、b_1 值就是回归方程的系数。

第二章 物理实验基本仪器介绍

我们在做大学物理实验时,实验仪器是测量的必要工具。实验仪器的类型有很多,包括力、热、电、光等各种类型。本章将介绍一些在物理实验中常用的基本仪器,其他一些专门化的仪器将在相关实验中介绍。

第一节 力学、热学实验仪器

一、长度测量仪器

长度是一个基本物理量,在国际单位制(SI 制)中,长度的单位是米(m)。现在公认米的定义:1 米是指光在真空中在 1/299 792 458 秒的时间间隔内所走过的距离。

常用的长度测量器具有米尺、游标卡尺、螺旋测微计等,选用器具时要注意其量程、分度值。

(一)米 尺

在测量精度要求不太高的情况下,一般用米尺来测量物体的长度。米尺的分度值为 1 mm,测量时可准确读到毫米这一位,毫米下一位则需估读。米尺的仪器误差是 0.5 mm。

使用米尺时应注意:

① 在进行实验测量时,一般不用米尺的边端作为测量起点,以免由于边缘的磨损而带来误差。

② 米尺有一定厚度,测量时应尽可能使米尺刻度面紧贴待测物体,否则会由于测量者的视差而带来误差。

(二)游标卡尺

为了提高米尺的测量精度,在米尺上附加一个可以沿尺身移动的有刻度的小尺,叫做游标,利用它可以把米尺估读的那一位准确地读出来,这样的一种装置称为游标卡尺。

1. 游标卡尺的构造

游标卡尺主要由主尺 D 和游标 E 两部分构成,如图 2-1-1 所示。主尺 D 与量爪 A、A′相联,游标 E 与量爪 B、B′及深度尺 C 相连,游标可紧贴在主尺上滑动。量爪 A′、B′用来测量物体的内径,量爪 A、B 用来测量物体的外径或厚度,深度尺 C 用来测量槽的深度,F 为固定螺钉。

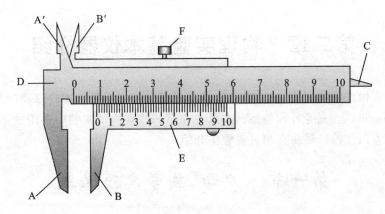

图 2-1-1

2. 读数原理

设 a 表示主尺上一个分度长度，b 表示游标上一个分度长度，游标上 n 个分度格与主尺上 $(vn-1)$ 个分度格的总长相等，即

$$nb = (vn-1)a \qquad (2-1-1)$$

式中，v 代表模数，$v=1$ 表示主尺上一个分度格与游标上一个分度格相当，$v=2$ 表示主尺上两个分度格与游标上一个分度格相当。由式(2-1-1)得

$$\delta = va - b = \frac{a}{n} \qquad (2-1-2)$$

式中，δ 称为游标的精度，表示游标卡尺能读准的最小值，即游标的最小分度值。主尺的最小分度格为 1 mm，若游标的分格数 $n=10$（如图 2-1-2 所示），则游标的分度值为 1/10 mm=0.1 mm，这种游标卡尺称为十分游标卡尺。若游标的分格数 $n=20$（如图 2-1-3 所示），则游标分度值为 1/20 mm=0.05 mm，称为二十分游标卡尺。常用的还有五十分游标卡尺，$n=50$（如图 2-1-4 所示），游标分度值为 1/50 mm=0.02 mm。

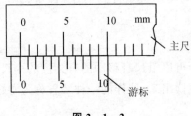

图 2-1-2

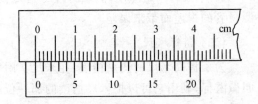

图 2-1-3

测量时，根据游标"0"刻度线所对主尺位置，如图 2-1-5 所示，先从主尺上读出整数刻度值，再从游标上读出以毫米为单位的小数位。用游标卡尺测长度 L 的普遍表示式为

$$L = ka + n\delta \qquad (2-1-3)$$

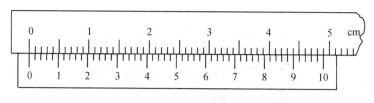

图 2-1-4

式中, k 是游标的"0"刻度线所在处主尺上刻度的整毫米数, n 是游标的第 n 条线与主尺的某一条线重合。例如用五十分游标卡尺测某物体长度时,若游标上第 15 条线与主尺的一个刻度对齐,如图 2-1-5 所示,则待测值为

$$L = ka + n\delta = (20 \times 1 + 15 \times 0.02) \text{ mm} = 20.30 \text{ mm}$$

图中游标上 $0,1,2,\cdots,10$ 的标度已经是 $n\delta$,可直接读出而不必再计算 $n\delta$ 这一项。十分游标卡尺、二十分游标卡尺的游标上同样标有可直接读出的标度。

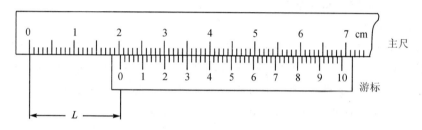

图 2-1-5

3. 使用注意事项

① 使用时必须检查零线是否对齐,若未对齐应记录下初读数。

② 使用时,轻轻推动游标把物体卡住,固定螺钉 F 即可读数。

③ 注意保护量爪,切忌被测物在卡口内挪动、摩擦。

④ 使用完毕应立即放回盒内,两刀口稍许离开。

(三) 螺旋测微计

螺旋测微计是比游标卡尺更精密的长度测量仪器,它是根据螺旋推进原理和机械放大原理设计的。

1. 螺旋测微计的构造

常用的螺旋测微计的量程为 25 mm,分度值为 0.01 mm。螺旋测微计的外形如图 2-1-6 所示。

螺旋测微计的主要部分是测微螺旋,它是由一根精密的测微螺杆和螺母套管组成的。螺杆的螺距为 0.5 mm,与螺杆连成一体的微分筒圆周上均匀刻着 50 条线,共有 50 个分格,微分筒旋转一周,测微螺杆前进(或后退)0.5 mm,当微分筒旋转过 1 个分格时,测微螺杆移动 $(1/50 \times 0.5)/\text{mm}$。因此微分筒上的最小分度为 0.01 mm,可估读到 0.001 mm 位。固定套筒中央沿轴线方向有一条刻度线(称为准线),一侧

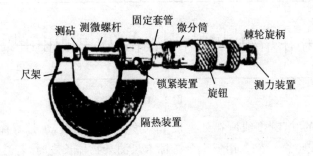

测砧　测微螺杆　　固定套管　微分筒　　　棘轮旋柄

尺架　　　　　　　　　　　锁紧装置　旋钮　测力装置

隔热装置

图 2 - 1 - 6

有毫米刻度,另一侧有半毫米刻度,这是主尺。读数时,从主尺上可读出测微螺杆移动的整数格(每格 0.5 mm),再从固定套管上的横线所对微分筒上的分格读出 0.5 mm 以下的数值,将两部分相加。

2. 读数方法

测量前对仪器进行零点校准(记下初读数)。轻轻转动棘轮旋柄推进螺杆,当螺杆刚刚和测钻接合时,可听见"咯咯"声,应立即停止转动棘轮。这时微分筒上的零线应对准固定套管上的准线,若未对准则应读出初读数,这是仪器的零差。测量时应减去零点读数,但要注意读数正负,如图 2 - 1 - 7 所示。

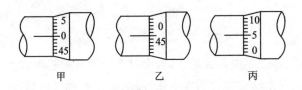

甲　　　　　　　乙　　　　　　　丙

图 2 - 1 - 7

旋动棘轮后退测微螺杆,在两测量面间放置待测物,然后再转动棘轮推进螺杆,听到"咯咯"声时可开始进行读数。0.5 mm 以上的部分由主尺读出,0.5 mm 以下的部分由微分筒周边上的刻度读出。如图 2 - 1 - 8(a)(b)所示,读数分别为 7.422 mm、8.384 mm,两者的区别在于微分筒边缘的位置,前者超过 7.5 mm,而后者没超过 8.5 mm。

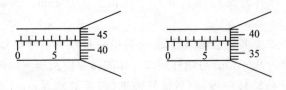

图 2 - 1 - 8

3.使用注意事项

① 进行零点校准,应注意初读数的正负。微分筒的零线在准线以下取正值,在准线以上取负值。

② 应转动棘轮驱动螺杆,当听到"咯咯"声时应立即停止转动,以免夹得过紧或多次测量时松紧不一,影响测量准确度,甚至损坏仪器。

③ 测量完毕应使测钻和测微螺杆的两个测量面留一间隙,以免热膨胀而损坏仪器。

二、 物理天平

在力学领域中除了长度这一基本物理量外,质量也是基本的物理量。在 SI 制中,质量的单位是千克(kg)。千克就是"保存在法国巴黎国际计量局的铂铱合金制成的国际千克元器所体现的质量"。

天平是一种按等臂杠杆原理做成的称衡物体质量的仪器。天平可分为物理天平、分析天平和电子天平等多种类型,型号也有很多,这里只介绍物理天平。

1.物理天平的结构

物理天平的外形如图 2-1-9 所示。

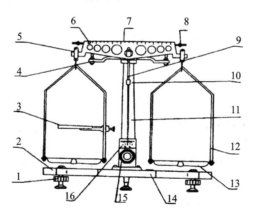

1—底脚调节螺丝;2、14—底盘;3—托架;4—制动支架;5—两侧刀口;
6—游码;7—刻度尺;8—平衡螺母;9—指针;10—感量调节器;11—支柱;
12—托盘支架;13—托盘;15—制动旋钮;16—标尺

图 2-1-9

横梁为一等臂杠杆,上有三个刀口,中间刀口置于支柱上,两侧刀口各悬挂一只质量相等的秤盘。横梁下面固定了一根指针,横梁摆动时,指针尖端就在支柱下方的标尺前摆动,当横梁水平时,指针应在标尺的中央刻线上。横梁两端的平衡螺母是天平空载时调节平衡用的。支柱底部有一制动旋钮,旋钮右旋横梁升起,天平启动;旋钮左旋横梁下降,支柱上的制动支架会将它拖住,以避免刀口磨损,天平处于制动状态。

物理天平的重要参数如下：

① 最大称量:天平允许称衡的最大质量。

② 分度值(也称为天平感量):空载时为使天平的指针从平衡位置偏转 1 格在一盘中所加的最小质量。单位是毫克/分度,习惯上称作毫克。

③ 天平分度值与最大称量之比定义为天平的准确度等级,国家计量部门将单杠杆天平分为了 10 级,如表 2 - 1 - 1 所列。

表 2 - 1 - 1

级　别	1	2	3	4	5	6	7	8	9	10
分度值 最大称量	1×10^{-7}	2×10^{-7}	5×10^{-7}	1×10^{-6}	2×10^{-6}	5×10^{-6}	1×10^{-5}	2×10^{-5}	5×10^{-5}	1×10^{-4}

2. 物理天平的调节与使用

① 调水平。调节底脚螺丝,使水平仪的气泡居中。

② 调零点。将游码移到左端零刻度处,两秤盘悬挂到刀口上,右旋制动旋钮启动天平,观察天平是否平衡。当指针指在标尺的中线位置时,即可认为零点调好,否则左旋制动旋钮使之处于制动位置,调整平衡螺母,然后再次启动天平观察平衡与否,直到调好零点。

③ 称衡。先让横梁在制动位置,将待测物放入左盘,旋制动旋钮试探平衡与否,若不平衡则旋回制动处,调右盘砝码和游码,直到平衡。此时测得待测物的质量就是右盘砝码与游码的质量之和。

3. 使用注意事项

① 天平的载荷量不得超过天平的最大称量;取放物体、砝码,移动游码或调节天平时,必须在天平制动后进行。

② 取放砝码时必须用镊子,砝码使用完应立即放回砝码盒内。

③ 秤盘、砝码要一致,不得随意调用。

④ 加砝码应按从大到小的次序。

⑤ 测量完毕天平应处于制动处,两端秤盘挂口应摘离刀口。

⑥ 天平各部分和砝码均需防潮、防锈、防蚀。高温物、液体、腐蚀性化学品严禁直接放在秤盘上。

三、 温度计

温度是表征物质热运动的一个物理参量,它反映了物质分子运动的剧烈程度。用来测量物体温度的仪器称为温度计。在物理实验中,常用的温度计有液体温度计、气体温度计、电阻温度计等。

（一）液体温度计

如果测温物体为液体（例如水银、酒精），则将其装在粗细均匀的毛细玻璃管中，用体积随温度的变化来标识温度。一般,体积随温度成线性变化。但是这类温度计存在测温范围窄、玻璃热滞的缺点。

（二）气体温度计

测温物质为气体（例如氢气、二氧化碳等）。气体温度计根据物理参量的不同,可以分成两种:一种是让一定质量的气体,其压强保持不变,根据体积随温度的变化来标识温度,称之为定压温度计;另外一种是让气体的体积保持不变,根据压强随温度的变化来标识温度,称之为定体温度计。

（三）电阻温度计

用某种导体为测温物质,根据导体的电阻随温度的变化来标识温度。一般,常用的电阻温度计有铂电阻温度计、铜电阻温度计、铑铁电阻温度计等。此温度计的测量精度相对较高,可测量的温度范围在$-260 \sim 1\ 000\ ℃$之间。

（四）热电偶温度计

让两种不同的金属端点互相接触,当两个接触点处于不同温度时,在回路中会产生相应的电动势,该电动势称为温差电动势。热电偶温度计就是根据上述原理制成的。

热电偶温度计测温范围比较宽,可测量的温度范围在$-200 \sim 2\ 000\ ℃$之间。常见的热电偶温度计有康铜-铜、铂-铂铑合金温差电偶温度计。

第二节　光学实验仪器

一、光　源

能够自己发光的物质我们习惯上称为光源。光源可分为天然光源和人造光源。电光源是指将电能转换为光能的光源。它属于人造光源,是实验室中的常用光源。电光源的种类繁多,按其从电能到光能的转化形式来区分,大致可以将其分成以下两类:热辐射光源和气体放电光源。除电光源外,还有一类光源也是实验室中常用的,即激光光源。

（一）热辐射光源

依靠电流通过物体,使物体温度升高而发光。如钨丝白炽灯及在它基础上发展起来的卤素灯就属于热辐射光源。

1. 白炽灯

灯丝中通过电流,就会加热至白炽状态,产生热辐射。灯丝在将电能转化为可见光的同时,还要产生大量的红外辐射和紫外辐射,因而大量的电能以热能的形式损失了,于是要提高灯的发光效率,就要尽可能减少热能损失。为此,应选用高熔点材料作灯丝,并使其工作于尽可能高的温度。钨丝不仅具有高熔点,还具有高温时蒸发率小、机械加工性能好、可见光辐射率高等优点,因而常选用钨丝作灯丝。但钨的熔点高达 3 655 K,当温度很高时,钨在真空中极易蒸发,于是缩短了使用寿命;要想使钨丝灯既有高的发光效率,又有合理的使用寿命,必须减少钨丝的蒸发。在灯泡内充入氩、氮等气体,可有效抑制钨的蒸发,从而使工作温度提高到 2 700～3 000 K,但充气后附加的气体传导和对流造成的热损失,使发光效率提高不多。

钨丝灯除用于照明外,由于其光谱是可见光及近红外的各种波长组成的连续光谱,因而在可见光及近红外光谱研究中常用钨丝灯作光源。

白炽灯的特点是:显色性能好,用白炽灯照明时颜色失真小;光色柔和,使用方便,启动性能好,可随开随关,不需任何附件;亮度调节方便;品种规格较多。其不足之处是发光效率低,寿命短。

2. 卤钨灯

普通白炽灯的光效比较低,而且由于钨丝的蒸发,不仅缩短了灯的使用寿命,而且蒸发的钨丝沉积在泡壳上使泡壳发黑。为了更加有效地抑制钨的蒸发,人们研制出了卤钨灯,即在钨丝灯泡中加入少量卤族元素。灯点亮后,从灯丝蒸发出来的钨与卤族元素反应生成卤化物,当它们扩散到炽热的灯丝周围时,又分解成卤族元素和钨,钨又重新沉积在灯丝上。这种卤钨循环减少了钨的蒸发。为了使卤化物在灯丝周围分解,管壁温度要比白炽灯高得多。因此,卤钨灯的泡壳尺寸就很小,泡壳用耐高温的石英玻璃或硬玻璃制成。

与普通的白炽灯相比,卤钨灯具有体积小、亮度高、寿命长、发光效率高等特点。其光谱是连续可见光谱,相比而言,短波成分增多,所以它发的光较白炽灯的光更近于白色。

目前使用的主要是碘钨灯和溴钨灯,作为强光源广泛用于摄影灯,汽车的雾灯、前灯、尾灯,放映灯,实验室里用作光谱仪器及投影仪等的光源。

(二) 气体放电光源

各种气体放电灯的基本结构和工作原理基本相同,如图 2-2-1 所示,在硬玻璃或石英泡壳 B 中装有电极(阳极 A 及阴极 C),并充以某种气体 G。放电灯工作电路如图 2-2-2 所示。其发光过程是:由阴极发射电子,并被外场加速,运动的电子与气体原子碰撞,气体原子接受了动能而激发,当受激发原子返回基态时,它吸收的能量又以辐射的形式(发光)释放出来,电子不断地产生及被加速,以上过程不断地进行。按照所充的气体,灯就发射出其特有的原子光谱或分子光谱。

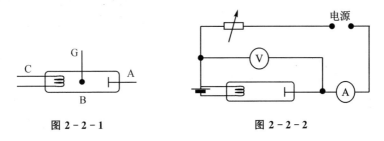

图 2 - 2 - 1   图 2 - 2 - 2

1. 汞 灯

利用汞蒸气放电而发光的灯统称为汞灯(水银灯),汞蒸气压强不同,汞灯辐射的光谱的组成和亮度也不同,按其工作时的汞蒸气压强的高低,分成低压汞灯、高压汞灯和超高压汞灯。此处仅介绍低压汞灯。

通常在等于或低于 1.013×10^5 Pa(一个大气压)下工作的汞灯称为低压汞灯。在汞蒸气压较低时,汞原子被激发到 6^3P_1 能级的机会最多,当返回基态时,便会产生波长为 253.65 nm 的共振辐射。低压汞灯常作为紫外单色光源使用,也用于灭菌、荧光分析和光化学反应上。

表 2 - 2 - 1 所列为常用 GP20Hg 低压汞灯主要参数。

表 2 - 2 - 1

型 号	主谱线波长/nm	电源电压/V		工作电流/mA	工作电压/V
		AC	DC		
GP20Hg	253.65	220	700	4~10	150

2. 钠 灯

国产钠灯有低压和高压两种,其工作原理和汞灯非常相似,都是金属蒸发弧光放电,其从点燃到工作大约需要 10 min。低压钠灯的机构如图 2 - 2 - 3,其外壳采用托钠玻璃,有低电流高电弧正柱,阴极由放电本身加热,放电管和外界有双重玻璃壁。当管壁温度为 260 ℃时,在 589.0 nm 到 589.6 nm 处两条光谱线最强可达总辐射能量的 85%,因此钠灯光的效率高,一般是荧光灯的四倍,可达 300 lm。在放电管外测有一些小窝,其目的是使钠凝固在那里,不然钠在管壁上形成薄膜将挡住光的发射。钠灯要用氖作填充气体才能得到最高发光效率,主要是因为氖作填充气体的体积损耗所需的温度正好是管壁的温度。低压钠灯光效高,损耗小,可作为实验室的重要单色光源。

由于弧光放电有负阻现象,故需配用符合灯管需要的镇流器,图 2 - 2 - 4 所示为 GP20 型钠灯工作电路。关灯后须待冷却后方可重新开启或搬动,以免烧断保险丝,并影响灯管的寿命。

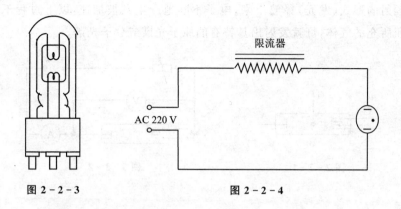

图 2 - 2 - 3   图 2 - 2 - 4

表 2 - 2 - 2 所列为钠灯主要参数。

表 2 - 2 - 2

型 号	电源电压/V	额定功率/W	工作电压/V	工作电流/mA	启动电压/V
GP20Na	220	20	20	1.3	220
N45	220	45	80	0.6	470
N75	220	75	120	0.6	470
N140	220	140	160	0.9	470

(三) 激光光源

激光是 20 世纪 60 年代出现的新型光源,其结构如图 2 - 2 - 5 所示。与普通光源相比,激光具有以下优点:光谱亮度高,能量高度集中;方向性好(色散角度小),几乎近于理想的平行光束;单色性强,因而相干性好。

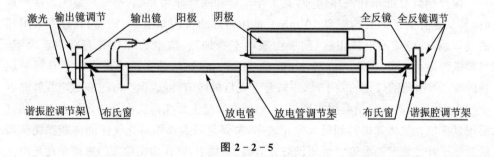

图 2 - 2 - 5

激光被应用于物理实验中,除了作教学演示外,在光的干涉、衍射和偏振等方面也获得了应用,如普通物理实验中常用的激光器是氦-氖激光器,发出波长为

632.8 nm 的红色激光。它由激光电源和氦-氖激光管两部分组成。激光管由下述三个基本部分组成：

① 起光放大作用的工作物质；

② 激励能源；

③ 具有选频(或者说滤波)和正反馈作用的光学谐振腔。

激光发光机理与前面讲过的光源都不相同,普通光源是自发射而发光,而激光是受激发而发光。在气体放电时,其中氖原子能级中出现粒子数反转,氖原子因受激发而辐射光能并且产生激光,经谐振腔加强到一定程度后,由谐振腔的反射镜反射出去。腔长 250 mm 的激光管的工作电压为 1 600 V,启动时的激光电压更高,使用中要注意人身安全。其最佳工作电流约 5 mA,此时输出功率最大,使用寿命也最长。使用时要注意激光管的正、负电极,不能把高压电源的正极接激光管的负极,否则会造成阴极溅射,污染激光管两端的发射镜,影响激光管正常工作。激光关闭后,也不能马上触及两电极,否则电源内的电容器高压会电击伤人。另外,激光束光强大,不能让光束直接射入眼内,以免损害视力。

二、 常用光学仪器

(一) 测微目镜

测微目镜又称测微头,经常用作光学仪器的部件。例如,在显微系统、望远系统及内调焦平行光管中,都装有这种目镜。其特点是:量程较小,准确度较高。各种测微目镜的基本原理和结构大体是相同的,下面介绍其中典型的丝杆式测微目镜。

丝杆式测微目镜的结构如图 2-2-6 所示。

带有复合目镜的镜筒与本体盒相连,而利用螺丝,即可将接头套筒与另一带物镜的镜筒相套接,以构成一台显微镜。靠近物镜焦平面的内侧,固定了一块量程为 6 mm 的刻度线玻璃标尺,其分度值为 1 mm。与该尺相距 0.1 mm 处平行地放置一块分划板,分划板由薄玻璃片制成,其上刻有一竖直黑丝。人眼贴近目镜镜筒观察时,即可在明视距离处看到玻璃尺上放大的刻线像及其相叠的准线像(见图 2-2-7),因为分划板的框架与由读数鼓轮带动的丝杆通过弹簧相连,故当读数鼓轮顺时针旋转时,丝杆就会推动分划板沿导轨垂直于光轴向左移动,同时将弹簧拉长。鼓轮逆时针旋转时,分划板在弹簧的回复力作用下向右移动。读数鼓轮每转动一圈,分划板上的测量准线移动 1 mm。在读数鼓轮周上均匀刻有 100 条线,分成 100 小格,所以每转过一小格,准线相应地移动 0.01 mm。测微目镜的读数方法与螺旋测微计相似,黑丝位置的毫米数由固定分划板上读出,毫米以下的读数由测微鼓轮得到。

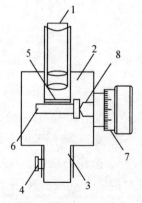

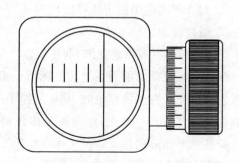

1—目镜;2—本体盒;3—接头套管;

4—螺丝;5—玻璃标尺;6—分划板;

7—读数鼓轮;8—丝杆

图 2-2-6   图 2-2-7

1. 测微目镜的调节与测量

① 调节目镜与分划板的距离,能清楚地看见测量准线。

② 调节整个测微头与被测实像的距离,使视场中能同时清晰地看到被测物,即调焦。

③ 为使被测实像能准确地落在分划板上,还需仔细调节,即消除视差。判断无视差的方法是:当左右或上下稍微改变视线方向时,两个像之间无相对移动。至此,测微目镜已调节好。

④ 测量时,转动鼓轮,使黑丝对准被测物的一端,记下读数。

⑤ 旋转鼓轮,使黑丝对齐被测物的另一端,又可得一读数,两读数之差便是该像的长度。

2. 使用注意事项

① 由于真实物体不可能移到分划板所在的平面上,故测微目镜不能用来直接观察微小物体。

② 在测量过程中,由于丝杆与螺母在螺纹间有空隙(螺距差或间隙差),故只能沿着同一个方向依次移动测量准线进行测量;否则,会出现鼓轮开始反转(读数变化),分划板因此需等到螺旋转过这个间隙后才能移到,而出现分划板(准线)尚未被带动的现象。因此,若旋转过了头,必须退回一圈,再向原方向旋转,重测。

③ 在测量时,要尽量克服视差,只有这样才能保证测量精度。

④ 旋转测微螺旋时,动作要平稳、缓慢。如果已达到一端,则不能再强行旋转,否则会损坏螺旋。

(二)望远镜

1. 望远镜的结构及原理

望远镜是观测远距离物体的助视仪器,在光学实验室中的望远镜,一般是用来观测和确定平行光方向的,即作瞄准用。若要测量较远(0.5 m 以上)物体的线度,可使用望远镜及附加的读数设备。实验室所用的望远镜由三部分组成:物镜、叉丝(分划板)和目镜,如图 2-2-8 所示。它的物镜通常是复合的消色差会聚透镜组,目镜通常也是一组会聚透镜,因而它属于开普勒透镜。它们分别装在三个套筒上,前后移动套筒可以前后改变它们的相对位置。

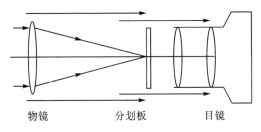

图 2-2-8

图 2-2-9 是望远镜的基本光学系统。观察无穷远处的物体时,望远镜物镜的像方焦点 F'_0 和物镜的物方焦点 F_e 重合。

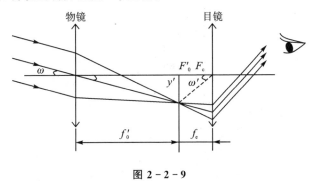

图 2-2-9

由物体发出的光经过物镜后在物镜的像方焦平面上成一个倒立的缩小的实像,此实像虽然比原物小了,但较原物大大地接近了人眼。然后利用一目镜(小焦距将此实像成像于无穷远处),使视角(物或像对人眼的张角称为视角)增大。可见,望远镜实质上起视角放大的作用。一般用视放大率表示其放大能力。视放大率被定义为:目视光学仪器所成的像对人眼的张角(记为 ω')的正切与物体直接对人眼的张角(记为 ω)的正切之比,即 $\Gamma = \dfrac{\tan \omega'}{\tan \omega}$。为了确定物和像对人眼的张角,必须规定物和像的位置。对于望远镜,通常规定物和像都在无穷远。由图 2-2-9 可知:

$$\tan \omega = \frac{y'}{f_0} \qquad \tan \omega' = \frac{y'}{f_e} = \frac{y'}{f'_e}$$

所以,望远镜的视放大率为

$$\Gamma_{\mathrm{T}} = \frac{f'_0}{f'_e}$$

式中,$f'_e = f_e$。如果物镜和目镜的焦距已知,则由上式就可以计算出望远镜的视放大率。

2. 望远镜的调节方法

① 推动目镜,改变目镜和叉丝之间的距离,使得在目镜中能清晰地看见叉丝。

② 推动叉丝套筒,改变叉丝与物镜间的距离,使叉丝位于物镜的焦平面上,这一步可以通过以下方法实现:将望远镜对准极远的物体,推动叉丝套筒,改变叉丝和物镜之间的距离,便能从望远镜中清楚地看见物体。

（三）读数显微镜

读数显微镜是将测微螺旋和显微镜组合起来用于精确测量长度的仪器。它的测微螺旋的螺距为 1 mm,和螺旋测微计的活动套管对应的部分是转鼓,它的周边等分为 100 个分格,每转 1 个分格显微镜将移动 0.01 mm,所以读数显微镜的测量精度也是 0.01 mm。它的量程一般是 50 mm。此仪器所附的显微镜是低倍的(20 倍左右),它由三部分组成:目镜、叉丝(靠近目镜)和物镜,如图 2－2－10 所示。

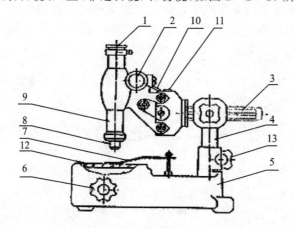

1—目镜;2—调焦手轮;3—横轴;4—立柱;5—底座;
6—反光镜调节手轮;7—工作台压簧;8—物镜;
9—镜筒;10—指标;11—标尺;12—毛玻璃;13—底座手轮

图 2－2－10

1. 读数显微镜测量步骤

① 调节显微镜目镜,使看到的叉丝最清晰。

② 调节显微镜调焦轮,使待测物成像最清楚,并消除视差,即眼睛左右移动时,看到叉丝与待测物的像之间无相对移动。

③ 转动目镜镜筒,使十字叉丝的一条丝与主尺的位置平行,另一条丝对准待测物上一点(或一条线),记下读数,转动丝杆,对准另一点(或另一条线),再记下读数,两次读数之差为两者间的距离。

④ 读数,要从标尺读出毫米的整数部分,小于毫米部分的数值(小数部分)由鼓

轮读出,要估读一位。

⑤ 当眼睛注视目镜时,只准使镜筒移离待测物体,以防止碰破显微镜物镜。

2.使用注意事项

① 使显微镜的移动方向和被测两点间连线平行。

② 防止回程误差。读数显微镜使其从相反方向对准同一目标的两次读数,似乎应当相同,实际上由于螺丝和螺套不可能完全密接,螺旋转动方向改变时,它们的接触状态也将改变,两次读数将不同,由此产生的测量误差称为回程误差。为了防止回程误差,在测量时应向同一方向转动鼓轮叉丝并与目标对准,当移动叉丝越过了目标时,就要多退回一些,重新再向同一方向转动鼓轮去对准目标。

(四) 光学平台系统

GSZ-Ⅱ型光学平台系统由实验平台主体、多维调整架、底座、光源、光学元件等组成。其中基座采用特殊加工网格状结构,结构稳固,不易变形。四角有四套防振座,内有两层防振层。光学实验平台的工作面几何尺寸为 800 mm×1 200 mm×120 mm,由钢材和含磁力不锈钢组成,以含磁力不锈钢板为平台工作面,平整、不生锈。工作面均布 50×50 的 M6 螺孔,实验时可用来固定组件,因有磁力,所以可以选用传统的磁力底座及调整架。

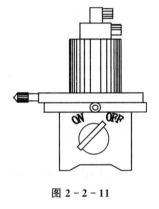

图 2 - 2 - 11

图 2-2-11 为 SZ-01 型三维平移光具底座,它能实现 X,Y 方向 10 mm 范围的平移,精度可达 0.01 mm,Z 方向有 30 mm 的升降范围。配合光学试验平台,将固定装置旋至"ON",底座即可稳固在平台上。当需要移动底座时,将固定装置旋至"OFF"即可。其他型号底座如 SZ-02 型二维平移底座、SZ-03 型升降调整底座、SZ-04 型通用底座等,结构大致相同,仅功能不如 SZ-01 型齐全。

第三节　磁电类仪器

电磁学实验仪器种类繁多,但不外乎电源、电表、电阻、开关等基本仪器。基于安全用电的考虑,在操作电磁学实验时,必须严格遵守实验室有关安全操作规则,以免发生意外。下面对一些基本仪器及操作规则作一简单介绍。

一、电源

电源有交流和直流两种。电源在电网电压特定变化范围内为实验仪器设备提供具有一定功率的稳定的直流电压或交流电压。常用的直流电源有晶体管直流稳压电源、直流稳流电源、干电池和蓄电池。选用电源要注意功率要求,在输出电压符合要求的情况下,应注意其工作电流是否在额定范围之内,若电流过载,将导致电源急剧发热而损坏。使用稳压电源、蓄电池要特别防止短路。短路就是电源的正、负极直接相连或负载电阻很小,短路会导致电流过大,致使电路元件烧毁或电源损坏。下面介绍 DF1731SB3A 型可调式直流稳压、稳流电源,如图 2-3-1 所示。

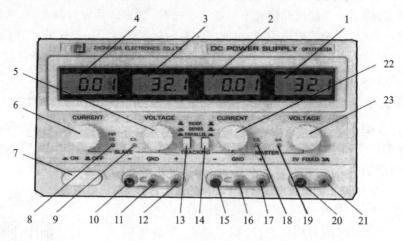

图 2-3-1

数字表(1):指示主路输出电压、电流值。

主路输出指示选择开关(2):选择主路的输出电压或电流值。

从路输出指示选择开关(3):选择从路的输出电压或电流值。

数字表(4):指示从路输出电压、电流值。

从路稳压输出电压调节旋钮(5):调节从路输出电压值。

从路稳流输出电流调节旋钮(6):调节从路输出电流值(即限流保护点调节)。

电源开关(7):当此电源开关被置于"ON"时(即开关被摁下时),机器处于开状态,此时稳压或稳流指示灯亮。反之,机器处于关状态(即开关弹起来)。

从路稳流状态或两路电源并联状态指示灯(8):当从路电源处于稳流工作状态时或两路电源处于并联状态时,此指示灯亮。

从路稳压状态指示灯(9):当从路电源处于稳压工作状态时,此指示灯亮。

从路直流输出负接线柱(10):输出电压的负极,接负载负端。

机壳接地端(11、16):机壳接大地。

从路直流输出正接线柱(12):输出电压的正极,接负载正端。

两路电源独立,串联、并联控制开关(13、14)。

主路直流输出负接线柱(15):输出电压的负极,接负载负端。

主路直流输出正接线柱(17):输出电压的正端,接负载正端。

主路稳流状态指示灯(18):当主路电源处于稳流工作状态时,此指示灯亮。

主路稳压状态指示灯(19)：当主路电源处于稳压工作状态时,此指示灯亮。

固定 5 V 直流电源输出负接线柱(20)：输出电压负极,接负载负端。

固定 5 V 直流电源输出正接线柱(21)：输出电压正极,接负载正端。

主路稳流输出电流调节旋钮(22)：调节主路电流输出电流值(即限流保护点调节)。

主路稳流输出电压调节旋钮(23)：调节主路电流输出电压值。

二、 电　表

电表有直流电表和交流电表。实验室里常用的电表是磁电式直流电流表和电压表,可用于测量直流电路中的电流和电压。使用电表,首先要学会识别电表规格的知识。电表的技术指标、性能、使用条件等,均用符号标在表盘上,如表 2-3-1 所列。

表 2-3-1

符　号	∩	—	∿	1.0	⊓	⊥	Ω/V
意　义	磁电式	直流	交直流两用	准确度级别	平放	竖放	电压表内阻

电表的主要规格为准确度级别、量程和内阻。

(1) 准确度级别　准确度级别是电表准确度的定量表达。GB 7676—87 规定电表准确度为 0.05、0.1、0.2、0.3、0.5、1.0、1.5、2.0、2.5、3.0、5.0 这 11 个级别。准确度级别为 k 级的电表的意义是,在规定的工作条件下,使用该电表测量时,其测量值的最大基本误差为

$$\Delta x_{\mathrm{m}} = \pm A_{\mathrm{m}} \cdot k\%$$

式中,A_{m} 为电表量程。测量值的相对误差为

$$E_x = \frac{\Delta x_{\mathrm{m}}}{x} \times 100\%$$

式中,x 为测量读数。显然,相对误差随 x 的增大而减小,故应选择合适的量程进行测量,一般使用测量值读数不小于三分之二量程。

(2) 量程　量程表示电表可测量范围。一只电表的量程可以是单量程,也可以是多量程。选择量程时应使被测电流强度(或电压)不超过电表的量程,否则,轻者指针打弯,重者烧毁电表的可动线圈。

(3) 内阻　电表的内阻也决定了电表的性能。一般电表的说明书上均给出其大小,必要时需由实验测出。

电流表内阻给出的方式有：

① 直接给出内阻的欧姆数；

② 给出电流表的额定电压降,则

$$电流表内阻 = \frac{额定电压降}{工作量程}$$

电压表内阻给出的方式有：

① 直接给出内阻的欧姆数；

② 给出电压表的额定电流值，则

$$电压表内阻 = \frac{工作量程}{额定电流}$$

③ 给出电压表的灵敏度 S_v（单位 Ω/V），则

$$电压表内阻 = 工作量程 \times S_v$$

电表的正确使用。首先要根据测量的需要合理选择电表，从电表的表盘（或说明书）上了解该电表的技术规格及使用条件。认清接线柱的极性和对应的量程，按放置要求放在实验台上便于观测的位置，检查机械零点并调整到位。1.0 级以上的电表在表盘上有反射镜，读数时做到眼睛、指针及指针在平面镜中的像三者一线。电表的表盘分度与其准确度级别是相关联的，一般读到仪表最小分度的 1/10 或 1/5。

随着电子技术的发展，数字仪表已使用得很广泛。数字式仪表的测量准确度更高，读数方便，但它对被测量变化趋势的反映不如机电式仪表那样直观。

1. 检流计（表头）

磁电式直流检流计是用来测量微小电流的高灵敏度仪表，常用来检测电路中有无电流通过。检流计在使用之前应调节零位调节旋钮，使指针指零。检流计在线路中常处于断开状态，如需要接通，一般先接通保护电路，检查连路正常后，再将保护电阻短路，将检流计直接接入电路。检流计的保护电路如图 2-3-2 所示。

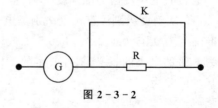

图 2-3-2

2. 万用电表

万用电表是实验室常用的一种仪表，可用来测量电压、电流、电阻、交流电压及电流等，还可以检查电路和排除电路故障。

万用电表主要由磁电型测量结构（亦称表头）和转换开关控制的测量电路组成。实际上它是根据改装电表的原理，将一个表头分别连接各种测量电路而改成多量程的电流表、电压表及欧姆表，是既能测量直流也能测量交流的复合表，它们合用一个表头，表盘上有相应于测量各种量的几条标度尺。表头用以指示被测量的数值，测量线路的作用是将各种被测量转换到适合表头测量的直流微小电流，转换开关实现对不同测量线路的选择，以适应各种测量的要求。电表的表盘上按表的功能有各种不同的刻度，以指示相应的值，如：电流值、电压值（有交流、直流之分）及电阻值等。对于某一测量的内容，一般分成大小不同的几挡，测量电阻时每挡标度不同的倍率。每挡标度是它相应的量限，即是用该挡测量时所允许的最大值，而各种量、各种不同

的量限所对应的测量电路均通过转换开关实现和表头的连接。所以测量时可通过转换开关实现对不同测量线路的选择,以适应各种测量的要求。

直流电流、电压表前面已讨论过,下面介绍欧姆表的简单原理。

欧姆表测量电阻的简单原理如图 2-3-3 所示。表头、干电池 E、可变电阻 R_0 及待测电阻 R_x 串联构成回路,电流 I 通过表头即可使表头指针偏转,其值为

$$I = \frac{E}{E_g + R_0 + R_x}$$

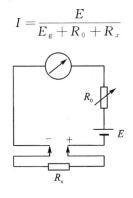

图 2-3-3

由上式可知,当电池电压一定时,指针偏转与回路的总电阻成反比,当被测电阻 R_x 改变时,电流就变化,表头的指针位置也有相应的变化。由此可见,表头的指针位置与被测电阻的大小是一一对应的,如果表头的标度尺按电阻刻度,就可以直接用来测量电阻了。被测电阻 R_x 越大,回路电流越小,指针的偏转就越小,当 R_x 为无穷大(即表棒两端开路)时,测得 $I=0$,表头指针显示 R_g 为零,因此欧姆表的标尺刻度与电流表、电压表的标尺刻度方向相反。由于工作电流 I 与被测电阻 R_x 不成正比关系,所以电阻的标度尺的分度是不均匀的。

由于电池的电动势会逐渐下降,这样就造成较大的测量误差,故这样结构形式的欧姆表都设有"零欧姆"调整电路,使用时必须将表棒两端短路(即 $R_x=0$),调整"零欧姆"旋钮,使指针指向 0 Ω 处。每当改变欧姆表的量程后,都必须重新调节"零欧姆"旋钮。

使用万用电表时应注意以下几点:

① 搞清楚需测什么物理量。切勿用电流挡、欧姆挡测量电压。

② 正确选择量程。如果被测量的大小无法估计,应选择量程最大的一挡,以防仪表过载;若偏转过小,则将量程变小,直至选择偏转角尽量大而未过载的量程。

③ 测量电路中的电阻时,应将被测电路的电源切断。

④ 用万用电表测量电阻时,应在测量前先校正电阻挡的零点,变换量程后也需重新调整,否则读数不准确。

⑤ 万用电表用毕,应将旋钮调到交流电压最大一挡或调到空挡(有的万用电表旋钮调至空挡处),以免下次使用时不慎损坏电表,特别注意不要停在欧姆挡。以免

表棒两端短路,致使电池长时间通电。

三、 电 阻

电阻是电路中最基本的元件之一,分为固定的和可调节的两类。

(一) 固定电阻器

固定电阻器的阻值固定,可分为碳膜电阻、金属膜电阻、绕线电阻等多种类型。电阻规格直接标在电阻上,但标注方式有两种:一种是把参数直接写在电阻上,如图 2-3-4 所示;另一种是将不同颜色的色环按一定顺序印在电阻上,如图 2-3-5 所示,来表示阻值的大小。颜色与数字的对应关系如表 2-3-2 所列。电阻上的前三个色环表示这个电阻的阻值,其大小由下式计算:

$$R = (m \times 10 + n) \times 10^l \quad (\Omega)$$

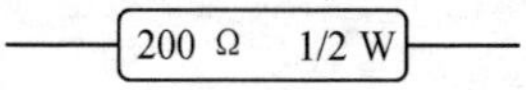

图 2-3-4 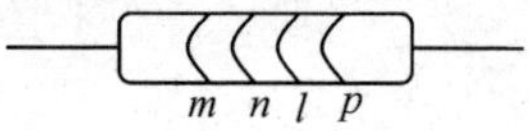   图 2-3-5

表 2-3-2

颜 色	黑	棕	红	橙	黄	绿	蓝	紫	灰	白	金	银
数 字	0	1	2	3	4	5	6	7	8	9	5%	10%

例如一色环电阻,其前三个色环颜色分别为棕、黑、红,则该电阻阻值为

$$R = (1 \times 10 + 0) \times 10^2 \quad (\Omega)$$

第四环表示误差,金色表示误差为 5%,银色表示误差为 10%。

(二) 可调节电阻器

可调节电阻器有电阻箱、滑线变阻器、电位器等。

1. 电阻箱

电阻箱一般由猛铜线绕制(无感绕法则可用于交流)的精密电阻串联而成,通过十进制旋钮使阻值改变,总阻值为各个旋钮读数之和,如图 2-3-6 所示。电阻箱的主要规格有:调整范围、等级指数、总电流、额定电流(即允许通过的最大电流。各挡阻值的额定电流不同,阻值越高,额定电流越小)和残余电阻。当各旋钮均置零位时,引出端之间的电阻值称为残余电阻或零电阻(由于各弹片刷及连线均有微小电阻)。

ZX21 型旋钮式直流电阻箱的技术参数如下:

调整范围:$(0 \sim 9) \times (0.1 + 1 + 10 + 100 + 1\,000 + 10\,000)\Omega$。

准确度等级:见表 2-3-3。

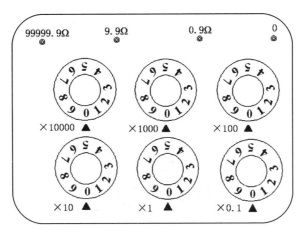

图 2 - 3 - 6

表 2 - 3 - 3

旋钮倍率/Ω	×0.1	×1	×10	×100	×1 000	×10 000
等级指数/10^{-6}	50 000	5 000	2 000	1 000	1 000	1 000
准确度等级	5	0.5	0.2	0.1	0.1	0.1

额定电流:见表 2 - 3 - 4。使用中不能超过各挡规定电流值。

表 2 - 3 - 4

旋钮倍率/Ω	×0.1	×1	×10	×100	×1 000	×10 000
额定电流/A	1.5	0.5	0.15	0.05	0.015	0.005

残余电阻:≤(30±10) mΩ(每个旋钮约 10 mΩ)。因而在选用 0.9 Ω 以下电阻时,应仅用×0.1 钮(引出端用 0.9 Ω,残余电阻≤10 mΩ);当需要选用 9.9 Ω 以下电阻时,应仅用低位旋钮(引出端用 9.9,残余电阻≤20 mΩ);只有需要选用 10 Ω 以上电阻时,才能用全部旋钮,如图 2 - 3 - 7 所示。

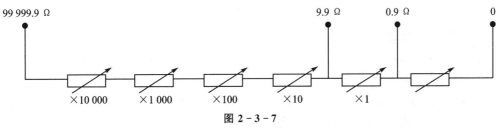

图 2 - 3 - 7

电阻箱一般按不同度盘给出准确度级别,同时给出残余电阻。ZX21 型电阻箱的基本误差允许极限由下式计算:

$$\Delta R = n \cdot 10 \text{ mΩ} + \sum_{i=1}^{n} \alpha_i \% \cdot R_i \quad (n = 1, 2, 3, \cdots, 6)$$

式中,n 为选用旋钮数,α_i 为各十进制旋钮的准确度级别,R_i 为各盘的示值。

2. 滑线变阻器

滑线变阻器如图 2-3-8 所示。其结构是:均匀电阻丝密绕在瓷管上,绕线的两端与接线柱连接,在绕线的上方有条形金属杆固定在支架上,杆上装有滑键,滑键上的弹簧片与电阻丝有良好接触,当移动滑键时,弹簧片与电阻丝的接触点也随之改变。

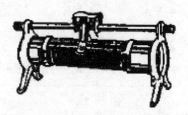

图 2-3-8

滑线变阻器的主要规格指标是电阻值和额定电流。实验时要根据滑线变阻器在电路中的作用及外接负载的情况,选用合适的阻值和额定电流的变阻器。滑线变阻器在电路中常作为串联可变电阻,起控制电路电流大小的作用,称为限流电阻或限流器,电路如图 2-3-9 所示。滑线变阻器的另一作用是并联于电路中,组成分压电路,起调节输出电压的作用。此种分压电路叫分压器,如图 2-3-10 所示。

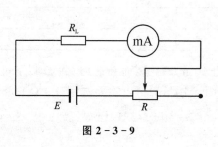

图 2-3-9

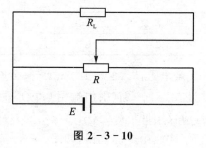

图 2-3-10

四、 示波器

(一) 示波器结构介绍

示波器包括示波管、x 轴放大器(或衰减器)、y 轴放大器(或衰减器)、扫描发生器和电源五个部分。其结构方框图如图 2-3-11 所示。

示波管:示波器的核心是示波管,它由电子枪、偏转电极和荧光屏三个部分组成。电子枪包括灯丝 h、阴极 K、栅极 G、第一阳极 a_1、第二阳极 a_2 等;阴极受热发射出来的电子流,经栅极的限流和第一阳极、第二阳极的加速与聚焦,形成一束很细的具有一定能量的电子束,射向荧光屏物质发光,调节第一阳极的电压,可以改变电子束的

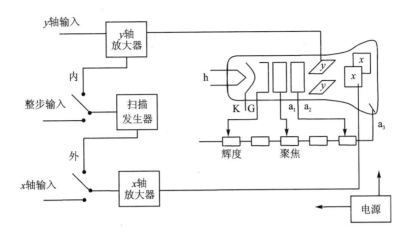

图 2 - 3 - 11

粗细,称为聚焦调节。栅极的电位比阴极低,调节栅极电位的高低能控制电子流的密度,从而控制荧光屏上光斑的亮度,因而叫辉度调节。水平偏转电极(x,x)和竖直偏转电极(y,y)组成偏转系统。板上加上不同的电压,荧光屏上的亮斑位移也不同,且亮斑位移的大小与偏转电压成正比。

x 轴和 y 轴放大器(或衰减器):它的作用是放大弱信号(或衰减强信号),使偏转电极的电压不太低(或不太高),使亮斑既有明显的位移,而又不至于超出荧光屏的范围。

扫描发生器:它包括锯齿波发生器、同步发生器和抹迹电路。锯齿波发生器提供线性扫描锯齿波,其波形如图 2 - 3 - 12 所示。同步电路是使锯齿波电压频率和被测信号频率自动调节成整数关系,从而在屏上得到被测信号的稳定波形。抹迹电路是隐匿锯齿波的回归线。

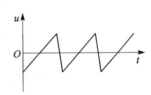

图 2 - 3 - 12

(二) 示波器显示波形的原理

如果将锯齿波只加在示波管的 x 偏转板上,这时亮点只在水平方向作周期性运动,荧光屏显示一条水平亮线。如果将正弦电压只加在 y 偏转轴上,则亮点只在纵方向运动,荧光屏上形成一条垂直亮线。但是,如果在 y 偏转板上加正弦波,同时又在 x 偏转轴上加锯齿波,则亮点将同时参与运动方向相互垂直的两种运动,在荧光屏上看到的将是亮点的合成位移,即正弦波形,如图 2 - 3 - 13 所示。

当正弦电压的周期与锯齿波电压的频率恰好相等时,正弦电压变化一周,光斑正好扫描一次,以后各次扫描所得到的图形与第一次完全重合,因而在荧光屏上显示出连续的两个波形,以此类推。

电学测量是现代生活、生产和科学研究中应用很广泛的一种实验方法和技术,除

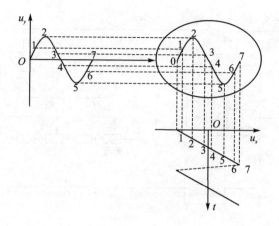

图 2 - 3 - 13

了用一些常用仪器测量电学量外,对非电学量测量也是很重要的实用技术。这里介绍的示波器不但可以直接观察电学量——电压的波形,并测定电压信号的幅度和频率等,而且可以对一切可转化为电压的电学量(如电流、阻抗等)、非电学量(如温度、位移、速度、压力、光强、磁场、频率等)以及它们随时间的变化过程进行观测。它是一种用途广泛的现代观测工具。

(三)示波器控制面板

示波器控制面板如图 2 - 3 - 14 所示。图中数字说明如表 2 - 3 - 5 所列。

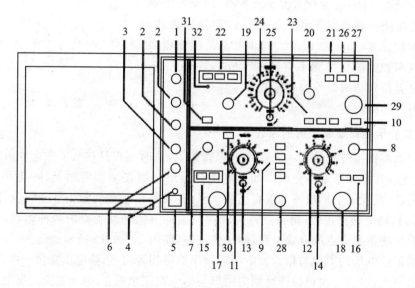

图 2 - 3 - 14

表 2 - 3 - 5

序 号	控制件名称	功 能
1	亮度	调节光迹的亮度
2	聚焦/辅助聚焦	调节光迹的清晰度
3	迹线旋转	调节扫线与水平刻度线平行
4	电源指示灯	电源接通时,灯亮
5	电源开关	接通或关闭电源
6	校正信号	提供幅度为 0.5 V、频率为 1 kHz 的方波信号,用于校正 10∶1 探极的补偿电容和检测示波器垂直与水平的偏转因数
7/8	垂直位移	调节光迹在屏幕上的垂直位置
9	垂直方式	CH1 或 CH2:通道 1 或通道 2 单独显示 ALT:两个通道交替显示 CHOP:两个通道断续显示,用于扫速较慢时的双综显示 ADD:用于两个通道的代数和或差
10	通道 2 倒相	CH2 倒相开关,在 ADD 方式时使 CH1+CH2 或 CH1-CH2
11/12	垂直衰减开关	调节垂直偏转灵敏度,周围标识灯指示当前灵敏度的挡位
13/14	垂直微调	连续调节垂直偏转灵敏度,顺时针旋足为校正位置
15/16	耦合方式	选择被测信号输入垂直通道的耦合方式
17/18	CH1 OR X/CH2 OR Y	垂直输入端,或 X-Y 工作时 X、Y 输入端
19	水平位移	调节光迹在屏幕上的水平位置
20	电平	调节被测信号在某一电平触发扫描
21	触发极性	选择信号的上升沿或下降沿触发扫描
22	触发方式	常态(NORM):无信号时,屏幕上无显示;有信号时,与电平控制配合显示稳定波形。 自动(AUTO):无信号时,屏幕上显示光迹;有信号时,与电平控制配合显示稳定波形。 电视场(TV):用于显示电视场信号。 峰值自动(P-P AUTO):无信号时,屏幕上显示光迹;有信号时,无须调节电平即能获得稳定波形显示
23	触发指示	当触发同步时,指示灯亮
24	水平扫速开关	调节扫描速度

序 号	控制件名称	功 能
25	水平微调	连续调节扫描速度,顺时针旋足为校正位置
26	内触发源	选择 CH1、CH2 电源或交替触发
27	触发源选择	选择内(INT)或外(EXT)触发
28	接地	与机壳相连的接地端
29	外触发输入	外触发输入插座
30	X - Y 方式开关	选择 X - Y 工作方式
31	扫描扩展开关	按下时扫描扩展 10 倍

五、 电磁学实验操作规程

① 连接电路时,必须有规整的电路图,对电路各部分的作用应明确,对电路中电源、仪器、电表及其他器具的规格应预先设定好。

② 选择合适的仪器及用具,参照电路图将它们分布到实验台上,能很方便地进行观察、操作和读数。

③ 对多功能、多量程的仪器,要调到合用的功能状态和量限,对灵敏度可调的仪器要先调到灵敏度最低的状态。

④ 连线时,应将电路分为主回路和支路,从电源一端开始沿主回路按顺序进行,其次为支路;主回路中心需有开关(先断开);导线最好有几中颜色的,主、支回路分别用一种颜色。

⑤ 往接线柱上接导线时,应按顺时针方向将导线缠上。

⑥ 电路连接后,必须认真复查,可请指导老师检查,但是要确认自己所连电路是正确的,绝对不允许未经仔细审查电路就接通电源试试看!

⑦ 实验中途调换仪器、仪器换挡、改变量程、改变接线,都要先切断电源。

⑧ 实验仪器显示任何不正常,都要先切断电源。

⑨ 实验结束时,将仪器调到最安全的状态再切断电源,如果时间允许,应审查记录,看是否有漏测或错误,最后拆除连线,整理好仪器和导线。

第三章 基础实验

实验一 基本测量

一、 实验目的

1. 熟悉游标卡尺、千分尺(又称螺旋测微计)、读数显微镜、物理天平的结构,并学会它们的调节和使用的方法。

2. 学会用有效数字及误差理论记录、处理数据。

3. 掌握测量物体密度的方法。

二、 实验仪器

游标卡尺、千分尺、读数显微镜、物理天平、被测物(细铁丝、铜管)。

三、 实验原理及内容

阅读有关游标卡尺、千分尺、读数显微镜以及物理天平的相关资料,明确仪器的原理、操作和读数方法,回答以下几个问题:

(1) 从游标卡尺上读数时,怎样读出被测量的毫米整数倍部分?

(2) 螺旋测微计上为什么设置棘轮?

(3) 螺旋测微计和读数显微镜同样是利用螺旋测长度,为什么后者要防止回程误差,而前者没有回程误差?

1. 用螺旋测微计测量细铁丝的直径

使用螺旋测微计测量细铁丝不同部位的直径 5 次,记录数据并填入表 3-1-1 中。

2. 管形圆柱体密度的测量

物质的密度 ρ 是指此物质单位体积内所含物质的多少,即

$$\rho = m/V$$

物质的密度无法直接测量,它是一个间接测量量,只有分别直接测出其体积 V 和质量 m 后,利用 $\rho = m/V$ 求得。

管形圆柱体可通过体积公式间接测量,即

$$V = \frac{1}{4}\pi h(d_1^2 - d_2^2)$$

式中,h 是管形圆柱体的高度,d_1、d_2 分别是管形圆柱体的外直径和内直径。

(1)用游标卡尺测量管形圆柱体的体积。外径、内径和高度各测 5 次,记入表 3-1-2 中。测量前先确定游标卡尺的分度值,记下零点读数。通过公式 $V = \frac{1}{4}\pi h (d_1^2 - d_2^2)$ 计算其体积。计算总的不确定度,必须先求出各直接测量量的结果,按表格完成 $h = \bar{h} \pm \Delta h$、$d_1 = \overline{d_1} \pm \Delta d_1$、$d_2 = \overline{d_2} \pm \Delta d_2$ 以及体积测量结果 $V \pm \Delta V$。

(2)用物理天平测量管形圆柱体的质量。测量 5 次,把数据记入表 3-1-3 中,并计算出质量的算术平均误差及其不确定度。

(3)根据密度公式,计算管形圆柱体的密度及其不确定度。

3.用读数显微镜测量细铁丝的直径

熟悉读数显微镜的操作,使用读数显微镜测量细铁丝的直径,如图 3-1-1 所示。测量 5 次,将数据记入表 3-1-4 中,测量结果与螺旋测微计测量结果进行比较。

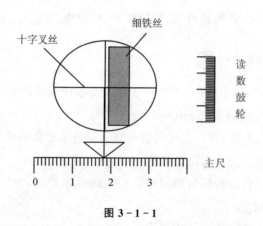

图 3-1-1

四、 预习思考题

1.本实验中仪器的最小分度各是多少?各应估读到哪一位?

2.螺旋测微计、游标卡尺的读数规则是什么?

3.物理天平的使用方法和读数规则是什么?它有哪些参数,其意义如何?如何计算直接误差、间接误差?

五、 实验数据与数据处理

1. 细铁丝直径的测量（数据记入表 3-1-1 中）

测量仪器名称：＿＿＿＿＿＿＿＿＿　　最小分度值：＿＿＿＿＿＿＿＿＿

量程：＿＿＿＿＿＿＿＿＿　　　　　零点读数：＿＿＿＿＿＿＿＿＿

表 3-1-1

测量序号 i	1	2	3	4	5	平均值
直径 d_i						$\bar{d}=$
$\Delta d_i = \lvert \bar{d} - d_i \rvert$						$\overline{\Delta d}=$

测量结果：$d = \bar{d} \pm \overline{\Delta d} =$ ＿＿＿＿＿＿＿＿＿＿＿

对 $\bar{d}$ 进行修正：

修正后结果：

2. 管形圆柱体体积的测量（数据记入表 3-1-2 中）

测量仪器名称：＿＿＿＿＿＿　　量程：＿＿＿＿＿＿

最小分度值：＿＿＿＿＿＿　　零读数：＿＿＿＿＿＿

表 3-1-2

测量序号 i	圆柱体高度 h	Δh	外直径 d_1	Δd_1	内直径 d_2	Δd_2
1						
2						
3						
4						
5						
平均值						

圆柱体高度：$h = \bar{h} \pm \Delta h =$ ＿＿＿＿＿＿＿＿＿

外直径：$d_1 = \bar{d}_1 \pm \Delta d_1 =$ ＿＿＿＿＿＿＿＿＿

内直径：$d_2 = \bar{d}_2 \pm \Delta d_2 =$ ＿＿＿＿＿＿＿＿＿

管形圆柱体的体积：$V = \dfrac{1}{4}\pi \bar{h}\,(\overline{d_1}^2 - \overline{d_2}^2) =$ ＿＿＿＿＿

相对误差：$E_r = \dfrac{\Delta V}{V} = \dfrac{\Delta h}{\bar{h}} + \dfrac{2\overline{d_1 \Delta d_1} + 2\overline{d_2 \Delta d_2}}{\overline{d_1}^2 - \overline{d_2}^2} =$ ＿＿＿＿＿

绝对误差：$\Delta V = V \cdot E_r =$ ＿＿＿＿＿

测量结果：$V \pm \Delta V =$ ＿＿＿＿＿＿＿＿＿

3. 管形圆柱体质量的测量（数据记入表 3-1-3 中）

表 3-1-3

测量序号 i	1	2	3	4	5	平均值
质量 m						$\bar{m}=$
$\Delta m=\mid m_i-\bar{m}\mid$						$\overline{\Delta m}=$

质量测量结果：$m=\bar{m}\pm\overline{\Delta m}=$ _____

管形圆柱体密度的计算：

密度最佳测量值：$\rho=m/V=\bar{m}/V=$ _____

相对误差：$E_r=\dfrac{\Delta\rho}{\rho}=\dfrac{\Delta V}{V}+\dfrac{\Delta m}{m}=$ _____

绝对误差：$\Delta\rho=E_r\cdot\rho=$ _____

密度测量结果：$\rho\pm\Delta\rho=$

4. 读数显微镜测量细铁丝直径（数据记入表 3-1-4 中）

表 3-1-4

测量序号 i	1	2	3	4	5	平均值
左边读数 $d_左$						
右边读数 $d_右$						
直径 $d=\mid d_左-d_右\mid$						$\bar{d}=$
$\Delta d_i=\mid\bar{d}-d_i\mid$						$\overline{\Delta d}=$

测量结果：$d=\bar{d}\pm\overline{\Delta d}=$ _____

实验二　拉伸法测金属丝的杨氏模量

一、　实验目的

1. 弄清杨氏模量的含义，学会用拉伸法测量金属丝杨氏模量的方法。
2. 掌握用光杠杆测量微小长度变化的原理和方法。
3. 掌握用逐差法处理实验数据；掌握用有效数字选择配套仪器的方法。

二、　实验仪器

杨氏模量仪、光杠杆、望远镜、标尺、螺旋测微计、游标卡尺和卷尺。

三、　实验原理

金属的杨氏模量 Y 是描述金属弹性性质的物理量,物体在外力作用下发生形状和大小的变化,称为形变。外力撤除后物体能恢复原来的形状和大小,这种形变称为弹性形变。

金属弹性形变中最简单的一种是棒状金属在受力后的伸长或收缩。设有一根长为 L,粗细均匀的金属丝,截面积为 S,受到沿长度方向外力 F 的作用,其伸长量为 ΔL。此时单位面积上所受到的作用力为 F/S,称为胁强,金属丝单位长度的伸长量为 $\Delta L/L$,称为胁变。根据胡克定律,在弹性限度内,胁变与胁强成正比例,即

$$\frac{\Delta L}{L} = \frac{1}{Y} \cdot \frac{F}{S} \qquad (3-2-1)$$

式中比例系数称为杨氏模量,也称弹性模量。杨氏模量的大小与物体受外力、长度及截面积无关,它是表征金属材料属性的重要物理量。式(3-2-1)可改为

$$Y = \frac{F}{S} \cdot \frac{L}{\Delta L} \qquad (3-2-2)$$

根据式(3-2-2),测出等号右边各量后,即可算出杨氏模量。F,S 和 L 可用一般方法测量,ΔL 的值很小,用一般方法不易准确测出,为此本实验采用光杠杆放大原理,利用测量微小长度的装置来测量 ΔL。下面介绍杠杆放大原理与相关仪器装置。

本实验的装置如图 3-2-1 所示,它主要包括两部分:杨氏模量仪和光学测量系统。

1. 杨氏模量仪

仪器装置如图 3-2-1 所示。三脚底座上装有两根平行立柱和调节螺钉,固定在底座上的水准泡用以察看底座是否调平。金属丝的上端固定在立柱顶端横梁的螺

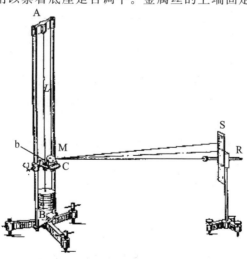

图 3-2-1

钉 A 中,下端系在托盘 B 的钩上,托盘用来装拉伸金属丝的砝码。立柱中间有一可以上下移动的平台 C,平台用来安放光杠杆。平台正中有孔,孔中有可以滑动的卡金属丝的螺旋卡头 b,金属丝通过螺旋卡头并嵌紧在中间。

2. 光学测量系统

光杠杆、望远镜 R 和标尺 S 是用来测量微小长度变化的光学测量系统。光杠杆上有一块直立的圆形平面镜 M,装在三足支架的两前足的上端。两前足放于平台的横槽内,后足尖放在嵌金属丝的螺旋卡头上。后足尖到嵌两足尖连线的垂直距离为 a。镜面的正前方约 1.50 m 处放置附有望远镜 R 及标尺 S 的立架。

当所测物体未发生长度变化前,可从望远镜内读出标尺上的标度值,即水平读数如图 3-2-2 所示,加砝码后金属丝的伸长量为 ΔL,三足支架的后足随金属丝 L 的伸长螺旋卡头同时下降 ΔL。此时镜面以前足尖为支点向后转过 θ 角,由图 3-2-2 可以看出 $\tan\theta=\Delta L/a$,这时由望远镜里读出标尺上的读数为 l_1,前后两次的读数差为 $\Delta l=l_1-l_0$。

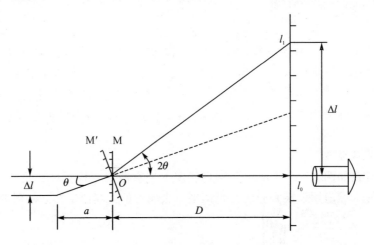

图 3-2-2

根据光的反射定律,当光杠杆镜面 M 转过 θ 角时,镜面法线也同时转过 θ 角,这样入射光线的夹角为 2θ。设镜面到标尺的距离为 D,由图 3-2-2 可以看出

$$\tan 2\theta=\Delta l/D$$

实验中,ΔL 很小,θ 角也很小,因此 $\tan\theta=\theta$,$\tan 2\theta=2\theta$,由此可得

$$\theta=\frac{\Delta L}{a}, \quad 2\theta=\frac{\Delta l}{D}$$

消去 θ 可以得到

$$\Delta L=\frac{a\,\Delta l}{2D} \tag{3-2-3}$$

ΔL 原来为难以测量的微小伸长量,通过光杠杆的放大作用,转变为对较大量 D、a 及 Δl 的测量。

将 $S = \frac{1}{4}\pi d^2$ (d 为金属丝的直径)及式 (3 - 2 - 3)代入式 (3 - 2 - 2),得

$$Y = \frac{8FLD}{\pi d^2 a \Delta l} \qquad\qquad (3 - 2 - 4)$$

式(3 - 2 - 4)即为本实验测定金属丝杨氏模量的理论公式。

四、 实验内容及步骤

1. 调节支架底座的三个螺钉,察看水准器,使两立柱在水平地面垂直。

2. 将光杠杆放在平台上。两前足放入平台的横槽内,后足尖放在螺旋卡头上,调整平台位置,使三足尖处于同一水平面上。

3. 在平台下部砝码托盘上先加 1 kg 砝码将金属丝拉直。检查螺旋卡头与平台中间的孔能否无摩擦地自由滑动。

4. 在距光杠杆镜面 1.50～2.00 m 处放置望远镜及标尺。调节目镜使观察到的十字叉最清晰,然后将望远镜瞄准光杠杆平面镜 M,从望远镜外侧沿镜筒轴线方向看,应看到平面镜中有标尺的像,经调焦后,能清楚读出标尺的标度值,如图 3 - 2 - 3 所示。当观察者眼睛上下晃动时,从望远镜中观察到标尺刻线像与叉丝间相对位置无偏移,称为无视差。这时即可记下十字叉丝的横线对准标尺的某一标度值,此标度值为金属丝初始状态时的水平读数 l_0。

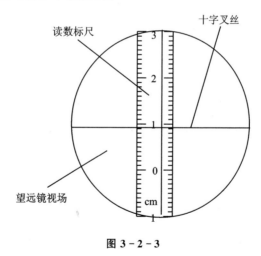

读数标尺　　　　　　十字叉丝

望远镜视场

图 3 - 2 - 3

5. 在托盘上依次轻轻地加上 1 kg 砝码,共加 7 次。每加一次用望远镜读得相应标尺上的读数并记录 $l_1, l_2, \cdots, l_7$,记入表 3 - 2 - 2 中。注意加砝码时切勿使砝码盘摆动,最好砝码交错放置,以防倒下。

6. 将所加砝码依次轻轻地取下,每取下 1 kg 砝码,望远镜中可读得标尺上相应的一个读数,依次为 $l'_7, l'_6, l'_5, \cdots, l'_0$,填入表 3 - 2 - 2 中。

注意,在增加和减少砝码时,当金属丝负荷相等时,读数应近似相等,如果相差甚

大,必须找出原因再重做实验。

7. 取同一负荷下标尺读数的平均值 $\overline{l_0}, \overline{l_1}, \overline{l_2}, \cdots, \overline{l_7}$,用逐差法处理数据。当负荷每增重 4 kg 时,算出相应标尺读数差 Δl 及平均值 $\overline{\Delta l}$。

8. 用螺旋测微计多次测量金属丝在无负荷及满负荷时,不同位置的直径 d,并求其平均值及测量的绝对误差,记入表 3-2-1 中。

9. 用卷尺测量金属丝的长度 L 和平面镜到标尺的距离 D。将光杠杆取下,在纸上压出三足尖痕迹,量出后足尖到前足尖连线的垂直距离。以上三个数据作一次测量,取仪器误差 0.5 mm 为其测量误差。

五、 预习思考题

1. 光杠杆法利用了什么原理?有何优点?

2. 望远镜的调节有何窍门?

3. 数据处理用了什么方法?此方法有何优点?

4. 如何推导出 E_r 和 ΔY?

六、 实验数据与数据处理

1. 螺旋测微计测量金属丝直径(数据记入表 3-2-1 中)

零点读数:_____　　单位:_____

表 3-2-1

测量序号 i	零负荷状态			满负荷状态			平均值
	1	2	3	4	5	6	
金属丝直径							$\overline{d}=$
绝对误差							$\overline{\Delta d}=$

测量结果:$\overline{d} \pm \overline{\Delta d} =$ _____

2. 相关数据测量值(数据记入表 3-2-2 中)

表 3-2-2

测量序号 i	负荷/N	标尺读数/10^{-2}m		$\dfrac{l_i+l_i'}{2}$/10^{-2}m	负荷增重 4 kg $\|l_{i+4}-l_i\|=\Delta l_i$/ 10^{-2}m	Δl 的绝对误差 $\Delta(\Delta l)$/ 10^{-2}m
		增重时 l_i	减重时 l_i'			
0				$\overline{l_0}=$	$\Delta l_0=$	
1				$\overline{l_1}=$	$\Delta l_1=$	
2				$\overline{l_2}=$	$\Delta l_2=$	
3				$\overline{l_3}=$	$\Delta l_3=$	

测量序号 i	负荷/N	标尺读数/10^{-2}m		$\dfrac{l_i+l'_i}{2}$/ 10^{-2}m	负荷增重 4 kg $\lvert l_{i+4}-l_i\rvert=\Delta l_i$/ 10^{-2}m	Δl 的绝对误差 $\Delta(\Delta l)$/ 10^{-2}m
		增重时 l_i	减重时 l'_i			
4				$\overline{l_4}=$		
5				$\overline{l_5}=$		
6				$\overline{l_6}=$		
7				$\overline{l_7}=$		
平均值					$\overline{\Delta l}=$	$\overline{\Delta(\Delta l)}=$

将以上所测各量 $\overline{\Delta l}$、$\overline{d}$、L、D、a 代入式（3 - 2 - 4），求出金属丝的杨氏模量。按照误差传递公式计算相对误差和绝对误差，写出测得结果。

$D=$ _____ mm　　　　　　$\Delta D=$ _____ mm

$L=$ _____ mm　　　　　　$\Delta L=$ _____ mm

$a=$ _____ mm　　　　　　$\Delta a=$ _____ mm

杨氏模量：

$$\overline{Y}=\frac{8FLD}{\pi d^2 a \Delta l}=\underline{\qquad}\ \text{N/m}^2$$

相对误差：

$$E_r=\frac{\Delta Y}{\overline{Y}}=\frac{\Delta D}{D}+\frac{\Delta L}{L}+2\frac{\overline{\Delta d}}{\overline{d}}+\frac{\Delta a}{a}+\frac{\overline{\Delta(\Delta l)}}{\overline{\Delta l}}=\underline{\qquad}$$

$\Rightarrow \Delta Y=$ _____

测量结果：$\overline{Y}\pm\Delta Y=$ _____

七、 注意事项

1. 不可触碰望远镜光学面，如果有灰尘可用擦镜纸清洁。

2. 实验过程中注意不要摔下光杠杆。

3. 光杠杆、望远镜和标尺所构成的光路系统，调好该装置记下初始读数 l_0 后，实验过程中不得再移动仪器，否则所测数据无效。

4. 用逐差法处理实验数据时，根据读数差确定力 F 的取值。在计算误差中，视 F 为常量。

实验三 气垫导轨上的实验

一、 实验目的

1. 了解气垫导轨、光电计时器的原理,学会对气垫导轨、光电门和数字毫秒计的调节及使用方法。
2. 学会用气垫导轨测量速度、加速度。
3. 验证动量守恒定律。
4. 验证机械能守恒定律。

二、 实验仪器与装置

气垫导轨、滑块、光电门、数字毫秒计、缓冲弹簧、橡皮泥、物理天平、游标卡尺、加重块、轻胶带及砝码。

气垫导轨由导轨、滑块、光电转换系统和气源几部分组成,如图 3-3-1 所示。

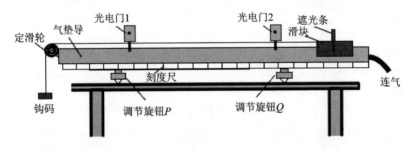

图 3-3-1

导轨:导轨是由一根平直、光滑的三角形铝合金制成,固定在一根刚性较强的工字钢梁上,长为 1.5 m。轨道上均匀分布着两排喷气小孔。导轨一端封闭,另一端装有进气嘴,当压缩空气从小气孔喷出时,托起滑块,以减少摩擦。为避免碰伤,导轨两端滑块上都装有缓冲弹簧;在工字钢架的底部装有三个底脚螺旋,分处在导轨的两端,双脚端的螺旋用来调节导轨两侧线高低,单脚端的螺旋用来调节导轨水平,或将不同厚度的垫块放在其下,以得到不同的斜度。另外,为测量方便,导轨一侧固定有毫米刻度的米尺,作为定位光电门的工具。

滑块:滑块是在导轨上运动的物体,其下表面与导轨的两个侧面精度吻合,滑块上可以加装挡光片、加重块、缓冲弹簧、橡皮泥等附件,以供不同实验使用。

气垫滑轮:它实际上是导轨延伸的一个圆形鼓轮,上面有喷气小孔,使带动滑块运动的轻胶带漂浮在滑轮上面,减少转动摩擦,同时还可避免由于滑轮自身的旋转影响测量结果。

光电门：光电门常与数字毫秒计相连，作为实验中的计时计数装置，光电门由小灯泡和光敏二极管组成。小灯泡点亮时，正好照在光敏二极管上。光敏二极管在有光照时，电阻为几 kΩ 到几十 kΩ，无光照时，电阻约为 MΩ 级以上。利用光敏二极管两种状态下的电阻变化，产生电脉冲来控制数字毫秒计，达到计时或计数的效果。

气源：实验中所用气流由专用小型气泵产生，该气泵接通电源即有气流产生。

三、 实验原理

(一) 速度的测量

一个作直线运动的物体，在 Δt 时间内，经过的位移为 Δx，则该物体在 Δt 时间内的平均速度为

$$\bar{v} = \frac{\Delta x}{\Delta t} \tag{3-3-1}$$

在 Δx 不大，且物体的加速度较小时，可以把 $\bar{v}$ 看作该点的瞬时速度。

在实际使用中，在滑块上装一窄的遮光板，当滑块经过设在某位置上的光电门时，遮光板将遮住照在光电元件上的光，测出遮光板的宽度 Δx 和遮光时间 Δt，就可算出滑块通过光电门的平均速度。由于 Δx 比较小，且在 Δx 范围内滑块的速度变化也很小，故可以把上述平均速度看成是滑块经过光电门时的瞬时速度。

(二) 加速度的测量

如图 3-3-2 所示，将已调水平的导轨的单脚螺旋端用适当的垫块垫高，从而使导轨有适当的倾斜度，则滑块将沿着导轨自由下滑，由于滑块所受的摩擦阻力可以忽略，故滑块的运动可认为是匀加速直线运动。将两个光电门分别置于 x_1 和 x_2 处，测出滑块自由下滑时经过这两个光电门的速度 v_1 和 v_2，则滑块的下滑加速度为

$$a = \frac{v_2^2 - v_1^2}{2(x_2 - x_1)}$$

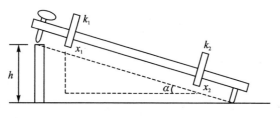

图 3-3-2

（三）验证动量守恒定律

如果系统不受外力或所受外力的矢量和为零,则系统的总动量(包括大小和方向)保持不变,这一结论称为动量守恒定律。显然,在系统只包括两个物体,且两物体沿一条直线发生碰撞的简单情况下,只要系统所受的合外力在此直线方向上的分量的代数和为零,则在该方向上系统的总动量就保持不变。

本实验研究两个物体沿一直线碰撞的情况,考虑在水平气垫导轨上的两个物体,由于气垫的漂浮作用,所以物体所受到的摩擦力可忽略不计,且空气阻力和粘滞力可忽略不计。这样,当发生碰撞时,系统的动量守恒,碰撞前后系统的总动量相等。

设两个滑块的质量分别是 m_1 和 m_2,它们在碰撞前的速度为 v_{10} 和 v_{20},碰撞后的速度为 v_1 和 v_2,则根据动量守恒定律有

$$m_1 v_{10} + m_2 v_{20} = m_1 v_1 + m_2 v_2 \tag{3-3-2}$$

实验主要讨论完全弹性碰撞的情况。

实验中为两滑块装上缓冲弹簧,由于缓冲弹簧形变后能迅速恢复原状,系统的机械能近似无损失,从而实现两滑块的碰撞为弹性碰撞。碰撞后系统的总动量和总动能均保持不变。

$$\frac{1}{2}m_1 v_{10}^2 + \frac{1}{2}m_2 v_{20}^2 = \frac{1}{2}m_1 v_1^2 + \frac{1}{2}m_2 v_2^2 \tag{3-3-3}$$

为简单起见,在实验中总是令 m_2 碰撞前静止,即 $v_{20}=0$,这时如果两个滑块质量相等,即 $m_1=m_2$,则由式(3-3-2)、式(3-3-3)有

$$v_1 = 0, \quad v_2 = v_{10}$$

即两个滑块碰撞后将彼此交换速度。

如果 $m_1 \neq m_2$,则有

$$m_1 v_{10} = m_1 v_1 + m_2 v_2$$

$$\frac{1}{2}m_1 v_{10}^2 = \frac{1}{2}m_1 v_1^2 + \frac{1}{2}m_2 v_2^2$$

联立可解得

$$v_1 = \frac{m_1 - m_2}{m_1 + m_2}v_{10}, \quad v_2 = \frac{2m_1}{m_1 + m_2}v_{10}$$

当 $m_1 > m_2$ 时,两滑块相碰撞后,二者沿相同的速度方向(与 v_{10} 相同)运动;当 $m_1 < m_2$ 时,两者碰撞后的运动速度方向相反,m_1 将反向运动,速度应为负值。

（四）验证机械能守恒定律

在外力不做功,内力只是保守力(如重力、弹性力等)的条件下,一个物理组(简称系统)的动能和势能可以相互转化,但其总和保持不变,这就是机械能守恒定律。

实验原理如图 3-3-3 所示。

调节气垫轨道使其与水平面的夹角为 α 后,把质量为 m 的砝码经轻胶带跨过气垫滑轮与质量为 M 的滑块相连接,由于采用了气垫,几乎消除了摩擦力,故由滑块、

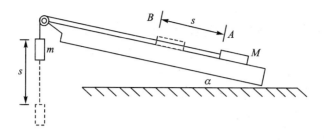

图 3 - 3 - 3

砝码和地球所组成的系统机械能守恒。

考虑滑块由 A 运动到 B 的过程,设 A、B 两点间距离为 s,滑块运动经过 A、B 点时速度分别为 v_1 和 v_2,则对这一过程,应用机械能守恒定律有

$$mgs = \frac{1}{2}(m+M)v_2^2 - \frac{1}{2}(m+M)v_1^2 + Mgs\sin\alpha$$

四、 实验内容

(1) 调整光电门计时系统,打开数字毫秒计电源,确定其能正常工作。

(2) 调节气垫导轨水平,可分粗调和细调。

① 粗调:接通气源,使导轨通气良好,将装有挡光片的滑块轻放于导轨上,调节单脚螺钉,使滑块在气垫上各处均能保持静止。

② 细调:将两光电门分别安装在导轨上,并相距一定的距离,使滑块以某一速度运动,测量滑块先后经过两个光电门时的挡光时间 Δt_1 和 Δt_2,仔细调节单脚螺旋,使 Δt_2 略大于 Δt_1,且相差在 5% 以内即可(处于水平的导轨,由于空气阻力等的影响,滑块经过第一个光电门的挡光时间 Δt_1 总是略小于经过第二个光电门的挡光时间 Δt_2)。

(3) 速度的测量,步骤如下:

① 在确定导轨已调水平和光电计时系统能正常工作后,将两光电门放置在导轨上,相距为一定距离 s 的两点。

② 用游标卡尺测出滑块上挡光片的宽度 Δx。

③ 将滑块放置在导轨上,并轻推滑块,使其以某一初速度在导轨上自由运动,按先后次序记下滑块往返一次经过两光电门时的挡光时间(即数字毫秒计的读数)Δt_1,Δt_2,Δt_3,Δt_4。

④ 由公式 $v = \dfrac{\Delta x}{\Delta t}$ 算出各位置滑块的速度。

⑤ 给滑块不同的初速度,重复上述实验步骤三次,以熟悉速度的测量方法。

该实验数据表格自拟。

（4）加速度的测量，步骤如下：

① 在已调水平的导轨的单脚螺旋端垫上一定高度的垫块。

② 如图 3-3-2 所示，将两光电门分别置于导轨上的 x_1 和 x_2 处，并从标尺上读出 x_1 和 x_2 的位置。

③ 让滑块从高端某位置处由静止开始自由下滑，测出其经过两光电门时的挡光时间 Δt_1 和 Δt_2，从而进一步算出滑块经过两光电门时的速度 v_1 和 v_2。

④ 重复测量三次，由公式

$$a = \frac{v_2^2 - v_1^2}{2(x_2 - x_1)}$$

可算出滑块下滑过程中的加速度。

⑤ 改变两光电门的位置，重复上述实验步骤②~④三次，将各次所得数据记录于表 3-3-1 中。

⑥ 计算并比较各加速度值。

（5）验证动量守恒定律，步骤如下：

① 取两个滑块，在其相碰撞端装上缓冲弹簧，用天平测量其质量，并通过向质量小的滑块上安装加重块或粘贴橡皮泥等办法，使两滑块质量相等，并记录该 m 值。

② 分别测量出两滑块上遮光板的宽度 Δx_1 和 Δx_2。

③ 如图 3-3-4 所示，在导轨上安装两光电门和两滑块静止在两光电门之间，且与两光电门保持适当的距离。

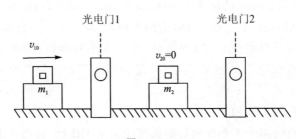

图 3-3-4

④ 轻推滑块 1，使其以某一速度从左向右运动，记录碰撞前后滑块 1 经过光电门 1 时的挡光时间 Δt_1 和滑块 2 经过光电门 2 的挡光时间 Δt_2，并注意观察碰撞后滑块 1 是否静止。

⑤ 重复上述实验步骤 5 次，将各次所得数据均记录于表 3-3-2 中。

⑥ 处理所得到的数据，判断碰撞前后动量是否守恒。

（6）验证机械能守恒定律。实验装置如图 3-3-5 所示。实验步骤如下：

① 将已调水平的导轨的单脚螺旋端用适当垫块垫高，并测量垫块高度 h 以及垫块到双脚螺旋端的垂直距离 L，从而计算 α 角。

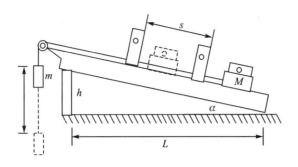

图 3 - 3 - 5

② 测量两光电门之间的距离 s。

③ 取滑块一个,测量其质量 M 及挡光片宽度 Δx。

④ 将轻胶带跨过滑轮,一端连接滑块,另一端连接砝码,并记下此时砝码的质量 m。

⑤ 使滑轮由静止开始运动,测量滑块经过两光电门时的挡光时间 Δt_1 和 Δt_2。

⑥ 重复以上实验步骤三次,将数据记录于表 3 - 3 - 3 中。

⑦ 改变砝码质量,再重复实验步骤⑤、⑥。

⑧ 处理数据,验证机械能是否守恒。

五、　预习思考题

1. 为什么在调整导轨水平时,滑块经过两光电门的时间并不一样,即滑块并不做匀速运动?

2. 为使滑块在导轨上匀速运动,是否应调节导轨完全水平?应怎样调节才能使滑块所受的合外力近似为零?

3. 在碰撞实验中,当光电门距离碰撞点的位置不同时,对实验结果是否有影响?

六、　实验数据与数据处理

1. 测量加速度(数据记入表 3 - 3 - 1 中)

表 3 - 3 - 1

x_1	x_2	测量次数	Δt_1	Δt_2	$v_1 = \dfrac{\Delta x}{\Delta t_1}$	$v_2 = \dfrac{\Delta x}{\Delta t_2}$	$a = \dfrac{v_2^2 - v_1^2}{2(x_2 - x_1)}$	$\bar{a}$
		1						
		2						$\overline{a_1} =$
		3						

x_1	x_2	测量次数	Δt_1	Δt_2	$v_1=\dfrac{\Delta x}{\Delta t_1}$	$v_2=\dfrac{\Delta x}{\Delta t_2}$	$a=\dfrac{v_2^2-v_1^2}{2(x_2-x_1)}$	$\bar a$
		1						
		2						$\overline{a_2}=$
		3						
		1						
		2						$\overline{a_3}=$
		3						
平 均								$\bar a=$

挡光片宽度 $\Delta x=$ _____ cm

2. 验证动量守恒定律(数据记入表 3 - 3 - 2 中)

滑块质量 $m=$ _____ 挡光片宽度 $\Delta x_1=$ _____ $\Delta x_2=$ _____

表 3 - 3 - 2

次数	Δt_1	Δt_2	$v_1=\dfrac{\Delta x}{\Delta t_1}$	$v_2=\dfrac{\Delta x}{\Delta t_2}$	$E_{k1}=mv_1$	$E_{k2}=mv_2$	$\Delta E_k=E_{k2}-E_{k1}$
1							
2							
3							
4							
5							

3. 验证机械能守恒定律(数据记入表 3 - 3 - 3 中)

滑块质量 $M=$ _____ 挡光片宽度 $\Delta x=$ _____ $h=$ _____

  $L=$ _____ $s=$ _____

表 3 - 3 - 3

砝码质量	次 数	Δt_1	Δt_2	$v_1=\dfrac{\Delta x}{\Delta t_1}$	$v_2=\dfrac{\Delta x}{\Delta t_2}$
$m_1=$	1				
	2				
	3				
$m_2=$	1				
	2				
	3				

七、　注意事项

1. 气垫导轨是较精密的实验设备,实验中应避免导轨受碰撞、摩擦而导致导轨表面变形、损伤,也不可将灰尘等杂物落在导轨表面,以防堵塞气孔。

2. 滑块的内表面光洁度高,严防划伤、碰坏。导轨不通气时,不能将滑块放在导轨上,更不能强行来回推动滑块,以防摩擦损伤导轨及滑块表面。实验后,将滑块从导轨上取下。

实验四　不良导体导热系数的测定

一、　实验目的

1. 会用稳态平板法测量不良导体的导热系数。
2. 会用作图法求冷却速率。
3. 会用热电偶测量温度。

二、　实验仪器

本实验采用复旦大学科教仪器厂生产的 TCM 型导热系数测定仪。基本装置如图 3-4-1 所示。它主要包括:

(1) 发热圆筒。其底盘为铜块,筒体周围用石棉层包覆,以降低向周围辐射热量。发热圆筒可在仪器架上面左右转动和上下升降。发热圆筒的底盘侧面有一个小孔,以便放置热电偶。

(2) 220 V,150 W 红外线灯泡热源。采用自耦式调压变压器,用于改变加在红外灯泡上的电压,以控制发热圆筒的温度。

(3) 散热盘 P。它放在可以调节的三个螺旋测微头上,调节这些螺旋测微头,可使待测样品的上下两个表面与发热圆筒底盘铜块和散热盘 P 紧密接触。散热盘 P 侧面有一个小孔,以便放置热电偶,其下方有一个微型轴流式风扇,以形成一个稳定的散热环境。

(4) 两个热电偶和两根细玻璃管。两个热电偶的冷端分别插在两根细玻璃中。

(5) 杜瓦瓶。其内装有冰水混合物。两根细玻璃管浸在冰水混合物中。

(6) 数字电压表。量程为 2 mV。

(7) 实验时两个热电偶的热端分别插入发热圆筒底盘和散热盘侧面的小孔内,为使热接触良好,热电偶插入小孔时要涂上一些硅油,冷端玻璃管内已放了少量硅油。热电偶的两个接线端分别插在仪器上相应的插口内,利用面板上的开关可以方便地直接测出这两个温差电动势。温差电动势可由数字电压表读出。

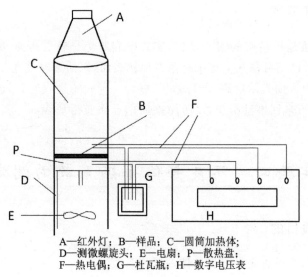

A—红外灯；B—样品；C—圆筒加热体；
D—测微螺旋头；E—电扇；P—散热盘；
F—热电偶；G—杜瓦瓶；H—数字电压表

图 3 - 4 - 1

三、 实验原理

设在物体内部垂直于导热方向取两个相距为 h、面积为 S 的平行平面,如图 3-4-2 所示。若这两个平行平面间的温度差为 $\Delta T = T_1 - T_2$,则在 t 秒内沿平面 S 的垂直方向传递的热量 Q 可用公式

$$Q = k \frac{\Delta T}{h} St \qquad (3-4-1)$$

表示。对不良导体,当 Q 较小时,才能忽略侧面的散热影响。式中的 k 称为物体的导热系数,单位为 W/(m·K)。不良导体的导热系数一般较小,例如,橡胶为 0.22,矿渣棉为 0.058,石棉板为 0.12,松木为 0.15~0.35,红砖为 0.49,混凝土板为 0.87,大理石为 2.7 等。良导体的导热系数通常较大,约为不良导体的 $10^2 \sim 10^3$ 倍,例如铜为 4.0×10^2,以上各数值的单位是 W/(m·K)。

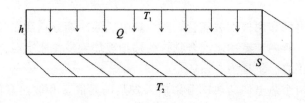

图 3 - 4 - 2

如图 3-4-1 所示,固定于底座上的三个测微螺旋共同支撑着一铜质散热盘 P。

盘的温度视为处处相等。在散热盘 P 上安放待测样品——热的不良导体 B,样品 B
上面再放置一个圆筒状发热体 C,圆筒发热体由红外线灯泡作为热源。

实验时,发热体 C 直接将热量通过样品 B 的上表面传入样品 B,同时散热盘 P
在电扇 E 的作用下稳定地向外界散热,使传入样品 B 的热量不断经样品 B 的下表面
散发出去。当传入样品的热量等于散发出的热量时,样品处于稳定的导热状态。此
时发热体 C 和散热盘 P 的温度为一稳定值。式(3-4-1)中 h, S, T_1, T_2 可以方便
地测出,但传递热量 Q 难以直接测量。实验中采用测定 P 盘在温度 T_2 时的冷却速
率方法来间接测量 Q 值。

某种材料的冷却速率定义为单位时间内温度的改变量,即

$$K = \frac{\Delta T}{\Delta t}$$

K 值与材料、表面情况、周围环境的温差有关。它的测量方法是这样的,在达到热稳
定状态后,测出样品上下两个表面的温度 T_1 和 T_2,然后将样品 B 抽去,使发热体 C
的底部与散热盘 P 直接接触。使 P 盘的温度上升到比 T_2 高10 ℃左右,然后,将发
热圆筒移开,并在散热盘 P 上覆盖原样品圆盘 B,让散热盘自然冷却。每隔 30 s 测
量一次散热盘 P 的温度,直到它的温度比 T_2 低 5 ℃左右。然后由此组数据绘出冷
却曲线,如图 3-4-3 所示。

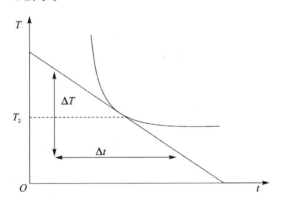

图 3-4-3

在曲线上通过相应于平衡温度 T_2 点,用镜尺法作该曲线的切线,此直线的斜率
$K = \frac{\Delta T}{\Delta t}$,即为在平衡温度 T_2 时散热盘 P 的冷却速率。

若散热盘 P 的质量为 m,比热为 C,则在 Δt 时间内它向外界散发的热量为

$$Q_1 = mcK\Delta t$$

而

$$\frac{Q_1}{\Delta t} = mcK$$

即为散热盘 P 在温度 T_2 时的散热速率。

因为待测样品 B 在热稳定状态时,散发的热量 Q_1 等于外界传入的热量 Q,即

$$kh\frac{T_1-T_2}{h}S\Delta t = mck\Delta t$$

$$k = \frac{mcKh}{S(T_1-T_2)} = \frac{4mcKh}{\pi d^2(T_1-T_2)} \qquad (3-4-2)$$

式中,d 为圆形样品判断直径。

实验中温度 T_1、T_2 采用热电偶(又称温差电偶)测量。热电偶是由两种不同材料的金属丝所组成的,如图 3-4-4 所示,如果两种不同材料的接触点处温度不同,则在 A、B 两点间会产生温差电动势,它的大小与组成热电偶的两种材料性质和两接触点之间的温度差(T_1-T_2)有关。表 3-4-1 给出了几种常用热电偶的特性。

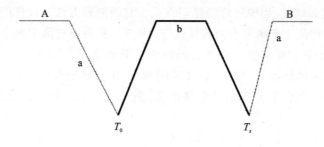

图 3-4-4

表 3-4-1

热电偶材料	使用温度范围	温差电动势近似值
铜-康铜	$-270\sim+400$	4.3
铁-康铜	$-200\sim+300$	5.3
铬-铝	$-200\sim+1\,100$	4.1
铂-铂,10%铑	$-180\sim+1\,600$	0.95
铂-铂,13%铑	$-180\sim+1\,600$	1.05
铂,40%铑-铑,20%铑	$+200\sim+1\,800$	0.4

由于热电偶具有结构简单、体积小、热容量小、测量温度范围宽等特点,所以广泛用于温度精密测量、高温测量和自动控制电路中。图 3-4-4 中粗、细线分别代表两种不同的金属材料。由两种材料 a、b 组成的热电偶,当两接点分别放在温度为 T_0 和 T_x 处时,如果温差电动势和温度差之间的关系已知,且已知一个接点处温度 T_0 的数值,则测量出温度差 T_x-T_0 后就能确定另一个接点 T_x 的数值。通常选用冰水混合物作为参考点 $T_0(0\ ℃)$,另一点放在待测温度 T_0 处。在一般情况下采用价格低廉、温差电动势较大的铜-康铜等材料。温差电动势用电位差计或数字式毫伏电压表测量。温差电动势和温度差的对应关系表在有关手册中均可查找到。

四、　实验内容及步骤

用稳态平板法测量不良导体材料(橡胶)的导热系数。

(1) 用游标卡尺测待测样品盘的直径和高度。

(2) 用物理天平测量待测散热盘质量。

(3) 用温差电偶和数字式电压表测量温度。

(4) 用作图法测定冷却速率。

实验时先测量样品盘的直径 d、厚度 h 和散热盘质量 m,再将样品盘放在散热盘中间,将圆筒发热盘放在样品盘上方,并用固定螺母固定在机架上,调节三个测微螺旋头,使样品盘的上下两个表面与发热圆筒底盘和散热盘紧密接触。

将调压变压器的输出电压调节到 200 V 左右,使红外灯加热,时间约 20 min,然后将电压降低到 150 V 左右,每隔 3 min 左右读出发热盘和散热盘中热电偶的相应电压值 V_1、V_2 若连续十分钟内电压表读数保持不变(末位数相差 1~2),即可认为已达到稳定状态,记下此时电压值 V_1、V_2,由实验室提供的表格即可查出相对应的温度 T_1 和 T_2。将样品盘取出,使发热圆筒的底盘与散热盘直接接触,使散热盘 P 的温度较原来平衡时上升约20 ℃,电压表读数约增加 0.8 mV),然后将发热筒移开,在散热盘 P 上覆盖样品盘,让散热盘自然冷却,每隔 30 s 记下电压表相应的读数,直到电压表读数比平衡时低 0.5 mV 左右为止,由表查出各时刻相对应的温度。

以时间 t 为横轴,温度 T 为纵轴,画出散热盘 P 的冷却曲线(见图 3-4-3)。然后用镜尺法画出经过曲线上温度 T_2 点的切线,求此直线的斜率 K,K 即为温度 T_2 时散热盘 P 的冷却速率。

用镜尺法画曲线上 A 点的切线方法如下:将镜子制成的直尺通过 A 点,然后以 A 点为圆心转动此镜尺,直到镜子中靠近镜子一段曲线元的像与原曲线元成一直线(见图 3-4-5),此时直尺的方向即为该曲线在 A 点的曲率半径方向。沿镜尺图 3-4-5 镜尺法画曲线的切线画一直线,然后过 A 点再画出与此线相垂直的直线(图 3-4-5 中细线),此直线即是曲线在 A 点的切线。将各数值代入式(3-4-2),

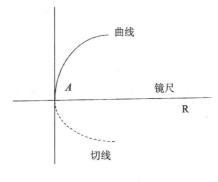

图 3-4-5

即可求出不良导体的导热系数。

五、 预习思考题

1. 何谓镜尺法,镜尺法画切线利用了什名原理?

2. 散热盘下方的轴流式风机起什么作用? 若它不工作时实验能否进行,为什么?

3. 用本实验装置可以测量良导体和空气的导热系数吗?

六、 实验数据与数据处理

实验数据记入表 3 – 4 – 2 中。

表 3 – 4 – 2

V_1/mV									
T_1/ ℃									
V_2/mV									
T_2/ ℃									

将测得的数据填入表格,并做相应的计算。

七、 注意事项

1. 热电偶的金属丝较细,放置与取下时要特别小心,以免折断。为避免热电偶线相互交叉,应使两个放置热电偶的小孔与杜瓦瓶位于同一侧。

2. 将样品盘抽出时,先切断红外灯加热电源,小心将发热圆筒降下,使发热盘与散热盘接触,同时要防止高温烫伤。

3. 在测定散热盘的冷却曲线时,发热圆筒移开后必须将它固定在机架上,并将固定螺母旋紧,避免实验过程中下滑造成事故。

4. 实验过程中若发现电压表读数呈现不规则变化时,请向教师及时报告。

实验五　驻波法测波速

一、 实验目的

1. 通过实验观察和测量,加深对驻波的形成机理及其特征的认识。

2. 了解声波在空气中传播速度与气体状态参量的关系。

3.学会用驻波法测量弦线上横波的波长及其频率的方法。

二、 实验仪器

电振音叉、滑轮、弦线、砝码、分析天平、米尺、共鸣试验管、橡胶管、蓄水筒、支架、音叉及橡皮锤。

三、 实验原理

(一) 弦线上横波波长与波速的测量方法之一

振动方向相同、频率相同、相位相同或相位差恒定的两列相干波,如果其振幅也相同,则当它们在同一直线上沿相反的方向传播时,将形成驻波。即在此直线上某些点始终静止不动,这些点称为波节;而在此直线上的另一些点,振幅将达到最大值,等于每个波的振幅的两倍,这些点称为波腹;在两相邻波节之间的各点,振幅均不相同,介于零和最大值之间。波节和波腹的位置不随时间变化,因而称为"驻波"。显而易见,相邻两个波节点之间的距离相同,为波长的一半。(详细推导过程见"补充材料:驻波机理"。)

本实验研究弦线上的横波的情况,实验装置如图 3-5-1 所示。

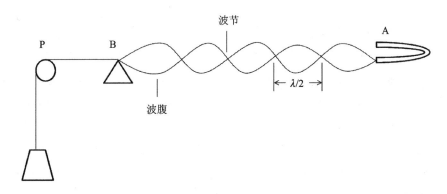

图 3-5-1

将粗细均匀的弦线的一端固定在电振音叉上的 A 点,另一端通过一滑轮 P 后,悬挂一砝码托盘,在托盘中放入适当数量的砝码,使弦线内产生一定的张力,接通电振音叉电源后,音叉将以其固有频率 f 振动,从而在弦线上激起一列自右向左传播的横波。当这列横波沿弦线传播到劈形支架 B 处时,将被反射回来,形成一自左向右传播的反射波,入射波和反射波满足相干条件,且振幅相同,在弦线上相遇后,将发生干涉,形成驻波。

调整劈形支架 B 的位置,以改变弦线的有效长度(即 A、B 间的距离)。可以证明，当弦线的长度为半波长的整数倍时，在弦线上能得到振幅最大而且稳定的驻波。此时，测量 A、B 之间的距离 L，以及在此长度内所形成的驻波波腹的个数 n，即可由

$$\lambda = 2\frac{L}{n}$$

计算出该横波的波长，再由音叉上所标注的固有频率 f，由式

$$\nu = f\lambda$$

可得到该横波在弦线上传播时的波速。

(二) 弦线上横波波长与波速的测量方法之二

由弹性理论可以证明，横波在张紧的弦线上的传播速度 ν 与弦线的张力 T 及弦线的线密度 ρ（单位长度的质量）有如下关系：

$$\nu = \sqrt{\frac{T}{\rho}}$$

若弦线的质量非常轻，忽略弦线与滑轮之间的静摩擦力，则滑轮下弦线所悬挂的砝码的重力可以近似地等于弦线中的张力 T。若改变悬挂的砝码质量，驻波相邻波节点之间的距离 L 也会相应改变。式中 ρ 可由实验室给出或由分析天平测出弦线的总质量进行计算，只要知道砝码的质量，就可根据上式算出波的传播速度 ν。

(三) 用共鸣管测量空气中的声速

如图 3-5-2 所示，蓄水筒与共鸣管的下端用橡皮管连通，通过调节蓄水筒的高度，从而调节共鸣管中的空气柱的长度，当频率为 f 的音叉在管口上方发声时，声波进入玻璃管中，遇到管内水面发生反射，声波沿反方向传播，正、反方向传播的声波发生干涉，形成驻波。

可以证明，当空气柱的长度为声波波长的四分之一或其奇数倍时，干涉使管口处入射波与反射波相互加强即发生共鸣，此时管口位置会形成驻波波腹，管内水面处形成波节，缓慢降低蓄水筒的位置，使共鸣管内空气柱的长度逐渐增加，其长度每增加半个波长，就会发生一次共鸣。实验中，仔细调整共鸣管内水面的高度，获得三次共鸣，并准确记录第一次、第二次、第三次共鸣时，共鸣管内水面位置 h_1, h_2, h_3，如图 3-5-2 所示，则

$$h_2 - h_1 = h_3 - h_2 = \lambda/2$$

这样，我们可以很快地求出波长 λ，再根据波速 ν、波长 λ 以及频率 f 之间的关系 $\nu = \lambda f$ 算出空气中的声速。其中，该声波的频率即为音叉的固有频率，标记于音叉上。标准状态下声音在空气中的传播速度为 $344\ \text{m/s}$（见补充材料：驻波机理）。

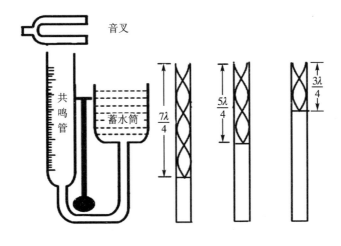

图 3－5－2

四、　实验内容及步骤

1. 观察驻波现象

（1）如图 3－5－1 安装好实验仪器，要求 AB 两点及滑轮顶部在同一直线上，且音叉脚面与弦线平行。

（2）在砝码盘内加入适当数量的砝码，使弦线张紧拉直。

（3）接通电振音叉电源，调节触点螺钉，使其触点与电振音叉上的弹簧片接触，可见到放电的亮光，此时,电振音叉在电磁线圈作用下将会振动起来，仔细调节触点螺钉，使电振音叉的振动达到稳定，调节好以后，用固定螺丝将触点螺钉固定。

（4）将劈形支架 B 置于最靠近滑轮的一端，并缓慢地沿弦线方向自左向右移动，同时仔细观察弦线的振动情况，直至弦线上出现明显的振幅最大且稳定的驻波，要仔细地调节，直至波节点静止不动为止，并数出此时波腹的个数 n。

（5）保持砝码的质量不变，继续向左缓慢移动劈形支架 B，仔细调节使弦线上所形成稳定驻波的波腹个数依次为 $n-1,n-2,n-3,\cdots,1$。

2. 弦线中波长、波速测量方法一

（1）在上述观察中，当调到振幅最大且最稳定的驻波后，数出此时的波腹个数 n，并记下此时劈形支架 B 的位置 B_n。

（2）仔细调节劈形支架 B 的位置，用同样的方法记下 $B_{n-1},B_{n-2},\cdots,B_1$。

（3）用米尺分别测量 $AB_1,AB_2,\cdots,AB_n$ 的长度 $L_1,L_2,\cdots,L_n$。

（4）由式 $\lambda=2\dfrac{L_n}{n}$ 计算驻波波长。其中 n 为所形成波腹的个数。

（5）从音叉上读出其固有频率 f，则由式 $\nu = f\lambda$ 可计算出波速 ν。

（6）重复上述实验步骤 5 次。将数据记入表 3 - 5 - 1 中，并进行数据处理。

3. 弦线中波长、波速测量方法二

本实验作为选做内容，具体实验方法由学生自行设计，在此，我们可用分析天平测出弦线总质量 m，用米尺测出弦线总长度 L，计算可得弦线线密度 ρ，再由公式 $\nu = \sqrt{\dfrac{T}{\rho}}$ 即可算得弦线中的波速（其中 T 为上述实验中所用的砝码质量），作为上述实验理论上的一个验证。比较两种方法所得结果，并分析产生误差的原因。

本实验内容的数据表格自拟。

4. 空气中声速的测定

（1）如图 3 - 5 - 2 安装好实验仪器，使音叉脚的末端位于共鸣管管口上方正中心位置，且距离管口 5 cm 左右，音叉振动方向与管口垂直。在蓄水筒中注入清水，并使蓄水筒和共鸣管半满为宜。

（2）用橡皮锤轻击音叉发音，同时通过改变蓄水筒的高度，缓慢调节共鸣管内水柱液面的位置，也即空气柱长度，静听共鸣的发生。当共鸣发出的"嗡嗡"声最为强烈时，用标记圈标记出此时水柱液面的位置。实验中要反复比较，准确地标出三次共鸣时的液面位置。

（3）共鸣管上的刻度尺读出三个标记圈的读数 h_1、h_2、h_3。

（4）重复步骤（2）、（3）共 5 次，将数据记入表 3 - 5 - 2 中，并计算声波波长 λ。

（5）将所求得的波长和音叉的振动频率标记于音叉上，可计算出空气中声波的传播速度。

（6）将所得到的声速与声速标准值比较，计算误差并分析原因。

五、 预习思考题

1. 什么是驻波？它产生的条件是什么？相邻波腹或波节之间的距离与哪些因素有关？

2. 拉紧的弦线中横波传播速度与哪些因素有关？

3. 弦振动测波长时，为什么不测量波腹间的距离而要测量七节间的距离？

六、实验数据与数据处理

1. 弦线上波长、波速的测量（数据记入表 3 - 5 - 1 中）

砝码质量 $m =$ _____ kg   音叉固有频率 $f =$ _____ Hz

表 3 - 5 - 1

次 数	L_1	L_2	L_3	L_4	L_5	...	
1							
2							
3							
4							
5							
平均							
λ							$\bar{\lambda}=$
ν							$\bar{v}=$
结 果	$\lambda=\bar{\lambda}\pm\sigma_\lambda=$						
	$\nu=\bar{\nu}\pm\sigma_\nu=$						

2.空气中声速的测量(数据记入表 3 - 5 - 2 中)

音叉固有频率 $f=$＿＿＿＿＿＿ Hz

表 3 - 5 - 2

次 数	h_1	h_2	h_3	h_2-h_1	h_3-h_2
1					
2					
3					
4					
5					
平均					

七、 注意事项

1.电振音叉的触点间隙要适当,不能过紧,否则不能起振,调节时应将触点螺钉缓慢接近电振音叉上的弹簧片,使两者轻轻接触,此时音叉开始振动,再仔细调节触点螺钉,使音叉振动加强并稳定。若无法起振,可用细砂纸擦去触点上的氧化膜。

2.电振音叉不宜长时间通电使用。

3.调节驻波波形时,一定要使驻波振幅最大,波形稳定,波节清晰且静止不动。

4.砝码弦线不能摆动。

5.调节滑轮高度,使弦线成水平,并使弦线与音叉脚成一条直线,不能是折线。

八、 补充材料：驻波机理

设沿弦线正反方向传播的波动方程分别为

$$y_1 = A_1 \cos 2\pi \left(ft - \frac{x}{\lambda} \right)$$

$$y_2 = A_2 \cos 2\pi \left(ft + \frac{x}{\lambda} \right)$$

若波在传播和反射时均无能量损失，入射波和反射波的振幅相等

$$A_1 = A_2 = A$$

则两波叠加的结果为

$$y = y_1 + y_2 = \frac{2A \cos 2\pi}{\lambda \cos 2\pi ft}$$

上式即为驻波方程，从方程中可以看出弦线上各点的振幅 $\left| 2A \cos \frac{2\pi}{\lambda} x \right|$ 与时间 t 无关，它只是位置 x 的函数，如图 3-5-3 所示。

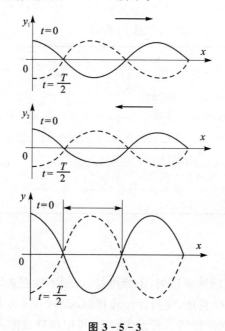

图 3-5-3

当 $2\pi x/\lambda = (2k+1)\pi/2 (k=0,1,2,\cdots)$ 即 $x = (2k+1)\lambda/4 (k=0,1,2,\cdots)$ 时，这些点的振幅始终为零，为波节；

当 $2\pi x/\lambda = k\pi (k=0,1,2,\cdots)$ 即 $x = k\lambda/2 (k=0,1,2,\cdots)$ 时，这些点的振幅最大，即为波腹。

由此可知，相邻两波节（或波腹）之间的距离为半个波长，因此只要测出相邻两波

节(或波腹)之间的距离就可以确定其波长。

实验六　扭摆法测定刚体转动惯量

一、　实验目的

1.用扭摆测定几种不同形状刚体的转动惯量和弹簧的扭转常数,并与理论值进行比较。

2.验证转动惯量平行轴定理。

二、　实验原理

扭摆的构造如图 3-6-1 所示,在垂直轴 1 上装有一根薄片状的螺旋弹簧 2,用以产生恢复力矩。在轴的上方可以装上各种待测物体。垂直轴与支座间装有轴承,以降低摩擦力矩。3 为水平仪,用以调节整个系统平衡。

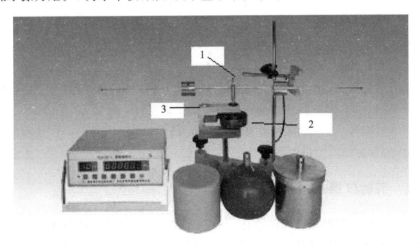

图 3-6-1

将物体在水平面内转过一角度 θ 后,在弹簧的恢复力矩的作用下物体开始绕垂直轴作往返扭转运动。根据胡克定律,弹簧受到扭转而产生的恢复力矩 M 与所转过的角度 θ 成正比,即

$$M = -K\theta \tag{3-6-1}$$

式中,K 为弹簧扭转常数,根据转动定律

$$\beta = \frac{M}{J} \tag{3-6-2}$$

式(3-6-2)中,β 为角加速度,J 为物体绕转轴的转动惯量,若 $\omega^2 = K/J$,忽略轴承

的摩擦阻力矩,由式(3-6-1)、式(3-6-2)得

$$\beta = \frac{\mathrm{d}^2\theta}{\mathrm{d}t^2} = \frac{K\theta}{J} = -\omega^2\theta \qquad (3-6-3)$$

式(3-6-3)表示扭摆运动具有角简谐振动的特性,角加速度与角相位成正比,且方向相反。此方程的解为 $\theta = A\cos(\omega t + \varphi)$,式中 A 为简谐振动的角振幅,φ 为初相位,ω 为角加速度,此简谐振动的周期为

$$T = \frac{2\pi}{\omega} = 2\pi\sqrt{J/K} \qquad (3-6-4)$$

由式(3-6-4)可知,只要实验测得物体扭摆的摆动周期,并在 J 和 K 中任何一个量已知时即可计算出另一个量。

实验中用一个几何形状规则的物体,它的转动惯量可以根据它的质量几何分布用理论公式直接计算得到。若两个刚体绕同一个转轴的转动惯量分别是 J_1 和 J_2,当它们被同轴固定在一起时,则总的转动惯量变为

$$J_总 = J_1 + J_2 \qquad (3-6-5)$$

式(3-6-5)称为转动惯量的叠加原理。实验中,如果知道了转动物体的转动惯量,就可算出仪器弹簧扭转常数 K 的值。反之,若知道了弹簧的 K 值,要测定其他形状物体的转动惯量,只需将带测物体安放好,测定其摆动周期,由公式(3-6-4)即可算出该物体绕转动轴的转动惯量。

理论分析证明,若质量为 m 的物体绕通过质心轴的转动惯量为 J_0 时,当转轴平行移动距离为 x 时,则此物体对新轴线的转动惯量变为

$$J = J_0 + mx^2 \qquad (3-6-6)$$

式(3-6-6)称为转动惯量的平行轴定理。

三、 实验仪器及使用方法

扭摆及几种待测转动惯量的物体:空心金属圆筒、实心塑料圆柱体、实心球、验证转动惯量平行轴定理用的细金属杆,杆上有两块可以自由移动的金属滑块。

转动惯量测试仪由主机和光电传感器两部分组成。

主机采用新型的单片机做控制系统,用于测量物体转动和摆动的周期,以及旋转体的转速,能自动记录、存储多组实验数据。

光电传感器主要由红外发射管和红外接收管组成,将光信号转换为脉冲电信号,送入主机工作。因人眼无法直接观察仪器工作是否正常,可用遮光物体遮挡光电探头发射光束通路,检查计时器是否开始计数,以及到预订周期数时是否停止计数。为防止过强光线对光探头的影响,光电探头不能放置在强光下,实验时可采用窗帘遮光,以确保计时准确。

使用方法如下:

（1）调节光电传感器在固定支架上的高度，使被测物体上的挡光杆能自由往返地通过光电门，再将光电传感器的信号输入线插入主机输入端。

（2）开启主机电源，"次数"显示为 10，"毫秒"显示为 0，按"增"键或"减"键，可增加或减少设定的测量次数（通常推荐 5 次左右为宜）。

（3）次数设定好之后，若按下"开始"键，即可进行周期及次数的测量（但受外力作用的那个周期（即第一个周期）不被计入）。此时"毫秒"显示数为周期的时间，"次数"显示数为周期的次数。

（4）测量次数至设定数后，"次数"停止于设定数，"毫秒"显示数为 0，按下"查询"键后再按"增"键或"减"键，可查询各测量到的数据。若在实验中途按下"停止"键，则实验停止。可用同样方法查询，获得已测量到的数据。

（5）每次设定测量次数和开始测量之前，均要按"复位"键，使仪器处于初始状态。

（6）若接有两个光电传感器，则在"通用"状态下可测量遮光物体通过它们之间距离的时间。

四、 实验内容

1. 熟悉扭摆的构造、使用方法，以及转动惯量测试仪的使用方法。
2. 测定扭摆弹簧的扭转常数 K。
3. 测定塑料圆柱、金属圆筒与金属细长杆的转动惯量，并与理论值比较，求百分比误差。
4. 改变滑块在金属细杆上的位置，验证转动惯量平行轴定理。

五、 预习思考题

1. 指出本实验要求的条件，在实验中如何实现这些条件？
2. 刚体的平行轴定理如何通过实验验证？

六、 实验步骤

1. 调整扭摆基座底脚螺丝，使水平的气泡位于中心。

2. 测出金属载物盘的质量和几何尺寸，算出其理论上的转动惯量 J_0，再把载物盘装在转轴支架上，并调整光电探头的位置，使载物盘上的挡光杆处于其缺口中央且能遮住发射、接收红外光线的小孔，用以测定摆动周期 T_0。

3. 旋转金属载物盘，使弹簧扭转超过 $90°$，然后释放，用仪器测量的测周期功能测定摆动周期 T_0，并根据公式（3-6-4）计算出弹簧的扭转常数 $K = \dfrac{4\pi^2 J_0}{T_0^2}$。

4. 测出塑料圆柱体的外径、金属圆筒的内外径、实心球直径、金属细长杆长度及各物体质量(各测量 3 次)。

5. 分别将塑料圆柱体、金属圆筒垂直固定在载物盘上,测定摆动周期 T_1 和 T_2。根据公式(3-6-3)和已知的弹簧的扭转常数 K,计算系统总的转动惯量(在计算塑料圆柱体和金属圆筒的转动惯量时,要在系统总的转动惯量中减去载物盘的转动惯量)。

6. 取下金属载物盘,装上实心球,测定摆动周期 T_3。根据公式(3-6-3)和已知的弹簧扭转常数 K,计算实心球的转动惯量(在计算实心球的转动惯量时,应减去支架的转动惯量)。

7. 取下实心球,装上金属细杆(金属细杆中心必须与转轴重合),测定转动周期 T_4(在计算实心球的转动惯量时,应减去支架的转动惯量)。

8. 将滑块对称放置在细杆两边的凹槽内,此时滑块质心离转轴的距离分别为 5.00 cm、10.00 cm、15.00 cm、20.00 cm、25.00 cm,测定摆动周期 T,验证转动惯量平行轴定理(在计算实心球的转动惯量时,应减去支架的转动惯量)。

七、 实验数据及数据处理

1. 测量规则物体沿转轴的转动惯量(数据记入表 3-6-1 中)

表 3-6-1

物体名称	质量/kg	几何尺寸/mm		周期/s		转动惯量理论值/ (kg·m^2)	实验值/ (kg·m^2)
塑料圆柱		d_1		T_1		$J_1' = m d_1^2 / 8$	$J_1 = \dfrac{K \bar{T}_1^2}{4\pi^2} - J_0$
		$\bar{d}_0$		$\bar{T}_1$			
金属圆柱		$d_外$		T_2		$J_2' = \dfrac{m(d_外^2 + d_内^2)}{8}$	$J_2 = \dfrac{K \bar{T}_2^2}{4\pi^2} - J_0$
		$\bar{d}_外$					
		$d_内$					
		$\bar{d}_内$		$\bar{T}_2$			

2. 验证刚体的平行轴定理(数据记入表 3 - 6 - 2 中)

表 3 - 6 - 2

$x/10^{-2}$ m	5.00	10.00	15.00	20.00	25.00
摆动周期 $T/$s					
$\bar{T}/$s					
实验值 $\dfrac{K T^2}{4\pi^2}/(\text{kg}\cdot\text{m}^2)$					

八、 注意事项

1. 将塑料圆柱和空心圆筒放在托盘上的时候,托盘上的固定螺丝一定要拧紧,否则托盘旋转时物体可能从托盘中飞出。

2. 实验中,让托盘离开平衡位置旋转时,转动的角度要控制好,一般偏转角 θ 的范围控制在 $\left(\dfrac{\pi}{2},\pi\right)$ 的范围内比较合适。

3. 在验证刚体的平行轴定理时,金属细杆的中心一定要和转轴重合,否则对实验结果影响较大。

实验七 伏安特性曲线的测绘

一、 实验目的

1. 能根据电路图正确连接实物元件。
2. 熟练掌握直流稳压电源、机械(数显)电表的使用。
3. 掌握线性电阻、非线性电阻元件伏安特性及其测绘方法。

二、 实验仪器

实验箱、电压表、电流表、IN4007 二级管、2CW54 稳压管、灯泡、线性电阻及导线等。

三、 实验原理

一个二端元件的特性可用该元件上的端电压 U 与通过该元件的电流 I 之间的函数关系 $I=f(U)$ 来表示,即用 I - U 平面上的一条曲线来表征。这条曲线称为该

元件的伏安特性曲线,于是可以得出以下结论:

(1) 线性电阻器的伏安特性曲线是一条通过坐标原点的直线,如图 3-7-1 中 a 所示,该直线的斜率的倒数等于该电阻器的电阻值。

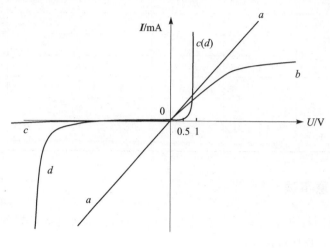

图 3-7-1

(2) 一般的白炽灯在工作时灯丝处于高温状态,其灯丝电阻随着温度的升高而增大,通过白炽灯的电流越大,其温度越高,阻值也越大,一般灯泡的"冷电阻"与"热电阻"的阻值可相差几倍至十几倍,所以它的伏安特性如图 3-7-1 中 b 曲线所示。

(3) 一般的半导体二极管是一个非线性电阻元件,其伏安特性如图 3-7-1 中 c 曲线所示。正向压降很小(一般的锗管为 0.2~0.3 V,硅管为 0.5~0.7 V),正向电流随正向压降的升高而急剧上升,而反向电压从零一直增加到十几伏至几十伏时,其反向电流增加很小,可视为零。可见,二极管具有单向导电性,但若反向电压加得过高,超过管子的极限值,则会导致管子击穿损坏。

(4) 稳压二极管是一种特殊的半导体二极管,其正向特性与普通二极管类似,但其反向特性较特别,如图 3-7-1 中 d 曲线所示。在反向电压开始增加时,其反向电流几乎为零,但当电压增加到某一数值时(称为管子的稳压值,有各种不同稳压值的稳压管)电流将突然增加,之后它的端电压基本维持恒定,当外加的反向电压继续升高时其端电压仅有少量增加。

四、 预习思考题

1. 伏安法测电阻的基本原理是什么?有哪几种接线方式?

2. 普通电阻的伏安特性曲线是怎样的?伏安特性曲线的斜率代表什么?

3. 普通二极管的正向电阻比较小,在测定其伏安特性曲线时,电路的设计和测试调整应注意什么问题?

4. 假设现在有一只可以作为标准电阻用的电阻箱,怎样利用伏安法测电阻的电路测出电流表或电压表的内阻?

五、　实验内容

1. 测定线性电阻器的伏安特性(数据记入表 3 - 7 - 1 中)

实验箱如图 3 - 7 - 2 所示。按图 3 - 7 - 3 所示电路接线,调节稳压电源的输出电压 U,从 0.00 V 开始缓慢地增加,一直增加到 10.00 V,记录相应的电压表和电流表的读数 U_R、I。

图 3 - 7 - 2

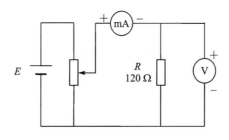

图 3 - 7 - 3

电压表量程:_____　　级别:_____

电流表量程:_____　　级别:_____

表 3 - 7 - 1

U_R/V	0.00	2.00	4.00	6.00	8.00	10.00
I/mA						

2. 测定非线性白炽灯泡的伏安特性(数据记入表 3 - 7 - 2 中)

将图 3 - 7 - 3 中的 R 换成一只 12 V,0.1 A 的灯泡,重复步骤 1。U_L 为灯泡的端电压。

电压表量程:_____ 级别:_____

电流表量程:_____ 级别:_____

表 3 - 7 - 2

U_L/V	0.100	0.500	1.000	2.000	3.000	4.000	5.000
I/mA							

3. 测定半导体二极管的伏安特性

正向特性测量数据记入表 3 - 7 - 3 中,反向特性测量数据记入表 3 - 7 - 4 中。

按图 3 - 7 - 4 接线,R 为限流电阻器。测二极管的正向特性时,二极管 IN4007 的正向施压 U_{D+} 可在 0~0.75 V 之间取值。在 0.5~0.75 V 之间应多取几个测量点。测反向特性时,只需将图 3 - 7 - 4 中的二极管反接,且其反向施压 U_{D-} 可达 15 V。注意二极管的反向截止功能,回路中电流相当微小,为避免电压表分流带来误差,采取电流表内接。

电压表量程:_____ 级别:_____

电流表量程:_____ 级别:_____

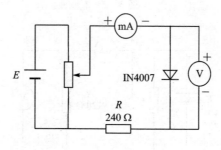

图 3 - 7 - 4

表 3 - 7 - 3

U_{D+}/V	0.100	0.300	0.500	0.550	0.600	0.650	0.700	0.750
I/mA								

电压表量程：_____ 级别：_____

电流表量程：_____ 级别：_____

表 3 - 7 - 4

U_{D-}/V	0.00	−3.00	−6.00	−9.00	−12.00	−15.00
I/mA						

4. 测定稳压二极管的伏安特性

测量数据分别记入表 3 - 7 - 5 和表 3 - 7 - 6 中。

（1）正向特性实验：将图 3 - 7 - 4 中的二极管换成稳压二极管 2CW54，重复实验内容 3 中的正向测量。U_{Z+} 为 2CW54 的正向施压。

电压表量程：_____ 级别：_____

电流表量程：_____ 级别：_____

表 3 - 7 - 5

U_{Z+}/V	0.000	0.200	0.400	0.500	0.550	0.600	0.650	0.700	0.750
I/mA									

（2）反向特性实验：将图 3 - 7 - 4 中的 R 保持不变，2CW54 反接，测量 2CW54 的反向特性。稳压电源的输出电压 U_0 从 0～15V，测量 2CW54 两端的电压 U_{Z-} 及电流 I，由 U_{Z-} 可看出其稳压特性。

电压表量程：_____ 级别：_____

电流表量程：_____ 级别：_____

表 3 - 7 - 6

U_{Z-}/V	
I/mA	

六、 注意事项

1. 用伏安法测电阻时，应注意被测电阻的额定输出功率。

2. 测二极管正向特性时，稳压电源输出应由小至大逐渐增加，应时刻注意电流表读数不得超过 35 mA。

3. 进行不同实验时，应先估算电压和电流值，合理选择仪表的量程，勿使仪表超量程，仪表的极性也不可接错。

4. 根据各实验数据，分别在方格纸上绘制出光滑的伏安特性曲线。（其中二极管和稳压管的正、反向特性均要求画在同一张图中,正、反向电压可取为不同的比例尺,但比例不可相差太大。)

实验八　电表的改装与校正

电表是用来测量电流、电压的仪器,电表的主要部件是微安计(表头)。由于微安计表头灵敏度高,满偏电流小,只能用来测量微小电流。若要测量较大的电流和电压,就必须对微安表进行改装,扩大量程。这样就能得到各种量程的电表以及多用途的万用电表。

一、　实验目的

1. 学会测量表头的满偏电流和内阻的原理和方法。
2. 掌握将表头改装成电流表、电压表的原理和方法。
3. 掌握校正电表的方法。

二、　实验仪器

微安计(表头)、毫安表、直流伏特表、电阻箱、滑线变阻器、直流稳压电源、开关及导线等。

三、　实验原理

(一) 电流表的改装原理

本实验中,我们要将量程为 $100\,\mu A$ 的微安计作为表头,将其改装成量程为 I_0 的电流表或量程为 U_0 的电压表。对于此表头,我们称使表头指针偏转到满刻度所需的电流值为表头的量程(又称满偏电流),记为 I_g,而表头的内阻记为 R_g。实际上,我们使用的各种不同量程的电流表和电压表,均是由表头改装而成的。比如改装成电流表,如图 3-8-1 所示,在表头两端并联一个电阻起分流作用,这个电阻称为分流电阻,用 R_S 表示。测量时被测电流大部分从 R_S 中流过,而表头通过的电流不大于 I_g,因此电表的测量范围加大了。如果改装后电流表的量程为 $I_0 = nI_g$,则由欧姆定律有

$$I_g R_g = (I_0 - I_g)R_S$$

分流电阻为

$$R_S = R_g/(n-1) \qquad (3-8-1)$$

其中 $n = I_0/I_g$ 为电流扩程倍数。

（二）电压表的改装原理

如图 $3-8-2$ 所示，在表头一端串联一个大电阻 R_h，使被测电压大部分在该电阻上，这个电阻称为分压电阻。如果将原电流量程为 I_g、内阻为 R_g 的表头改装成量程为 U 的电压表，则根据欧姆定律有

$$U = I_g(R_g + R_h)$$

分压电阻 R_h 为

$$R_h = \frac{U}{I_g} - R_g = (n-1)R_g \qquad (3-8-2)$$

其中 $n = \dfrac{U}{I_g R_g}$ 为电压扩程倍数。

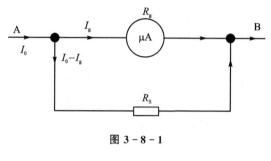

图 3 - 8 - 1

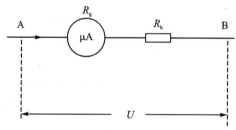

图 3 - 8 - 2

（三）电表内阻的测量

要想把一个表头改制成我们所需量程的电流表或电压表，由上边公式可知，关键的问题是如何准确地知道这一表头的满偏电流 I_g 和内阻 R_g。一般采用测量的办法，本实验介绍的是满偏测量法，实验电路如图 $3-8-3$ 所示。首先调整电阻箱的阻值 R_1 至最大，电阻箱的阻值 R_2 至最小，使开关 K_1 闭合，开关 K_2 断开，再调节 R_1 使微安表头指针满刻度，记下此时 R_1 的值和电压表上的读数 U_0 值。然后先闭合 K_2，再把 R_1 的值减半，并调节 R_2 使微安表头的指针再次满偏。必要时稍微调节 R，使电压表的指针指在刚才位置（即 U_0），然后调节 R_2，使微安表满偏，记下此时 R_2 的

值。不难理解在此情况下，被测表头的满偏电流 I_g 和内阻 R_g 可分别由以下关系算出：

$$I_g = U_0/(R_1 + R_2)$$
$$R_g = R_2$$

(四) 电表的校正

由表头改装而成的电表，必须经过校正才能使用。其方法是将待校正的(即改装的)电表和一个准确度等级较高的标准表同时测量一定的电流或电压，分别读出待校正表各个刻度的值 A 和标准表所对应的值 A_S，得到各刻度的修正值 $\delta_A = A_S - A$，以 A 为横坐标，δ_A 为纵坐标，画出电表的校正曲线，两个相邻校正点之间用直线连接，整个图形是折线形状，如图 3-8-4 所示。我们常用它来对改装表进行修正或重新绘制被改装电表的刻度，并由校正曲线找出最大误差值，利用公式：

$$K = 100|\delta_{Am}|/\text{量程} \tag{3-8-3}$$

可以算出待校正电表的准确等级 K。

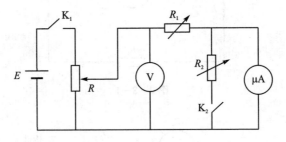

图 3-8-3

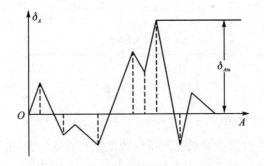

图 3-8-4

四、 实验内容及步骤

1. 表头参数的测量

(1) 调整好表头的机械零点。

（2）按图 3-8-3 所示接好电路，R 调到最低处，使分压电路输出电压最小。将 R_1 调至 99 999 Ω（注意不是 99 999.9 Ω），R_2 调至 0.0 Ω，然后断开 K_2，做好测量前的准备。

（3）接通 K_1，调节 R 到有理想的电压输出（1.5～3.0 V），然后逐渐减小 R_1 使微安表头的指针达到满偏位置。记下此时的 R_1 值和电压表读数 U_0。

（4）先接通 K_2，将 R_1 的值减半，然后再逐渐增加 R_2 的值使表头的电流从小逐渐增大，直至再次达到满偏位置，此时再微调 R，使电压表指针指在刚才位置 U_0 处，并且保持 U_0 不变，再微调 R_2，使表头满偏，记下 R_2 的值。

（5）将测量数据 R_1、R_2 和电压读数 U_0 的值代入式中，计算出被测电表的 I_g 和 R_g。

2. 电流表的改装和校正

（因并联电阻 R_S 的阻值需非常小，此处只作讨论，不做实践。同学们可假定实验需要由前面得出的 I_g 和 R_g 模拟计算 R_S。）

（1）计算分流电阻 R_S 的理论值：由式（3-8-1）算出所需并联的分流电阻 R_S 的值。表头参数 I_g、R_g 由上面的测量结果给出，改装电流表的量程由实验室给出。

（2）按图 3-8-5 连接好电路。图中虚线框内是改装的电流表，其分流电阻 R_S 由可变电阻箱得到。开始时电阻箱阻值应略小于 R_S 的理论值。准备通电校正改装电流表。

（3）通电前，调整好两表的零点，检查线路确认无误后再接通开关 K，然后：①调节滑线变阻器 R，使标准表指在读数为 I_0（校表的量程）处，然后看改装表（被校表）的指针是否在满偏刻度位置，若不在满偏刻度位置，则：② 适当改变 R_S 的值使被校表指针指在满偏刻度位置。如此不断地调节①、②直到标准表指在 I_0 时，被校正表也刚好指在满偏刻度位置（此时的分流电阻值称为 $R_{S测}$）。再改变滑线变阻器 R 的值，使被校表的 I_x 表示值按表 1 的值逐渐从大到小，然后再从小到大变化，每次记录标准表相应的读数值。

（4）以改装表的读数 I_x 为横坐标，以差值 $\Delta I_x = \overline{I_x} - I_x$ 为纵坐标，作出电流表的校正曲线。

3. 电压表的改装与校正

（1）计算分压电阻 R_h 的理论值：由式（3-8-2）算出所需串联的分压电阻 R_h 的值。表头参数 I_g、R_g 由上面的测量给出，改装电压表的量程由实验室给出。

（2）按图 3-8-6 连接好电路。图中虚线框内是改装的电压表，其分压电阻 R_h 由可变电阻箱得到。开始时电阻箱阻值应略大于 R_h 的理论值。准备通电校正改装电压表。

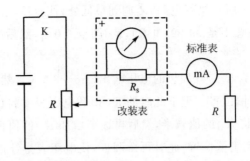

图 3 - 8 - 5

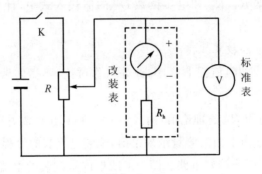

图 3 - 8 - 6

（3）检查线路确认无误后接通开关 K，调节滑线变阻器 R，仿照校电流表的方法，首先校正零点、量程，然后校正刻度。

（4）以改装表的读数 U_x 为横坐标，以差值 $\Delta U_x = \overline{U_x} - U_x$ 为纵坐标，作出电压表的校正曲线。

五、 预习思考题

1. 实验中，在校准电表时为什么要把电流（或电压）从小到大做一遍，然后再从大到小做一遍？如果两个过程的结果完全一致，说明什么？如果不一致又说明什么？

2. 表头的内阻如何测量？还有其他方法吗？

3. 在校正电流表（电压表）时，如果改装表比标准表的读数偏高，则应如何调节分流电阻（分压电阻）？

六、 实验数据与数据处理

1. 实验数据（记入表 3 - 8 - 1 中）

$R_1 = $ _____ Ω　　　　$R_2 = $ _____ Ω　　　　$U_0 = $ _____ V

$I_g = $ _____ μA　　　　$R_g = $ _____ Ω　　　　$R_{h理} = $ _____ Ω

标准表级别:_____ 标准表量程_____ V $R_{h测} = $_____ Ω

表 3 - 8 - 1

改装表	刻度盘位置	10.0	20.0	30.0	40.0	50.0	60.0	70.0	80.0	90.0	100.0
	表示值 U_x/V										
标准表	U_x 由大到小/V										
	U_x 由小到大/V										
	平均$\overline{U}_x$/V										
$\Delta U_x = \overline{U}_x - U_x$											

被校电流表的数据表格仿照表 3 - 8 - 1 自行拟定。

2.数据处理

(1) 根据表 3 - 8 - 1 中的实验数据算出相关结果。

(2) 在方格坐标纸上作出 $\Delta I_x - I_x$ 曲线和 $\Delta U_x - U_x$ 曲线。

(3) 在坐标图中分别找出改装电流表或电压表的最大误差,算出各改装表的等级。

七、 注意事项

1.为了防止表头电流过大而损坏,实验开始时限流电阻 R_1 应调到 99 999 Ω,然后逐渐减小。

2.改装好的电表,其分流电阻(或分压电阻)绝不能再有所变化。

3.改装电流表时,R_S 应首先调在阻值最小处,然后逐渐增大。

4.改装电压表时,R_h 应首先调在阻值最大处,然后逐渐减小。

5.使用分压电路时,调节时应注意使输出电压从零开始逐渐增大。

6.电阻箱阻值调节方法:电阻箱阻值由大调小或由小调大,思路都差不多,调节过程中必须保证电路回路中电流、电压不超过电表量程。为保证这一点,在连接好电路后,接通回路前,必须根据该电阻的串并联关系而预设阻值为最小或最大。步骤如下:

① 根据电路串并联关系,为串联分流,电阻的阻值则调至最小,为并联分压,则调至最大。

② 改变最小挡电阻,观察其对整个电路的影响,如果影响甚小,则返回原始值。继续调节上一个挡位,再作上述判断。每个挡位根据原始位置不同,调节顺序不同,如由最大值开始,其顺序为 9→8→7→…→0,由最小值开始,其顺序为 0→1→2→…→9。

③ 直至找到阻值改变对整个电路有一定影响的那个挡位,且有如下效果:相邻两挡其一改变量不足,另一个却超出范围,则应该保留那个改变量不足的挡位,而调节下一个挡位。重复上述判断,直至最后一个挡位数字确定,则调节完毕。

实验九　光电效应测普朗克常量

一、　实验目的

1. 通过实验加深对光的量子性的了解。
2. 通过光电效应,验证爱因斯坦方程,并测定普朗克常量。

二、　实验仪器

卤钨灯、凸透镜、小型光栅单色仪、光点接收和微电流测量放大器、二维底座。

三、　实验原理

(一) 光电效应

当一定频率的光照射到某些金属表面上时,可以使电子从金属表面逸出,这种现象称为光电效应,所产生的电子称为光电子。光电效应是光的经典电磁理论所不能解释的。1905 年爱因斯坦提出了光子的概念,并利用光量子理论成功地解释了它们。他认为,一束频率为 ν 的光,实质上是大量光子运动形成的。每个光子的能量为

$$\varepsilon = h\nu \tag{3-9-1}$$

h 称为普朗克常量。当金属中的一个电子吸收一个频率为 ν 的光子时,获得其全部能量 $h\nu$。如果该能量大于电子摆脱金属表面束缚所需的功 W,电子就从金属中逸出,按照能量守恒原理,有

$$h\nu = mv^2/2 + W \tag{3-9-2}$$

式(3-9-2)称为爱因斯坦方程。其中 m 和 v 是光子的质量和速度,$mv^2/2$ 是电子逃逸金属表面后的最大动能。它说明:光子能量 $h\nu$ 小于 W 时,电子不能逸出金属表面,所以,产生光电效应入射光的最低频率为 $\nu_0 = W/h$,称为光电效应的极限频率,也叫红限。

(二) 实验原理

如图 3-9-1 所示,A 和 K 分别为光电管的阳极和阴极,G 为微电流计,当单色光入射到光电管的阴极 K 上时,如果频率够高,则有光电子逸出。由于初动能的关系,部分逸出的光电子能到达阳极 A。假使我们不想让光电子到达光电管的阳极,那么我们应该在光电管两极加上反向电压,即 K 极加高电位,A 极加低电位。

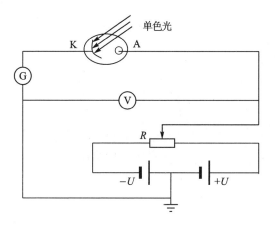

图 3 - 9 - 1

当满足方程

$$eU_0 = mv^2/2 \qquad (3-9-3)$$

时,如图的回路中光电流为零,则此时的 U_0 称为遏止电压。

将式(3-9-2)代入式(3-9-3),则可以得到

$$eU_0 = h\nu - W \qquad (3-9-4)$$

改变入射光的频率,可测得不同的遏止电压,作 $\nu - U_0$ 图,可以得到一条直线(见图 3-9-2),由直线的斜率

$$\tan\theta = \Delta U_0 / \Delta\nu = h/e \qquad (3-9-5)$$

即可以求出普朗克常量。

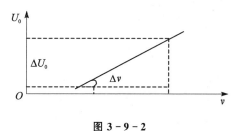

图 3 - 9 - 2

四、 实验内容及步骤

1. 按照图 3-9-3 所示的顺序放好仪器,调节同轴等高。光电接收装置的光线入射口与小型光栅单色仪必须正对套接。

2. 接通溴钨灯的电源,并且预热 20～30 分钟。然后再前后调整凸透镜的位置,使光源聚焦在小型光栅单色仪的入射狭缝上。

3. 放大测量器(见图 3-9-4)的电流放大倍率开关选择 10^{-4} 挡位,调节旋钮可

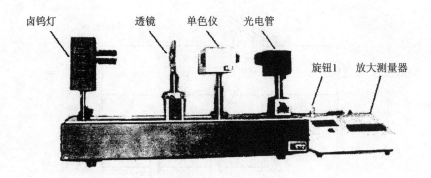

图 3 - 9 - 3

以使光电管阴阳两极直流电压在－2.000～2.000 V 之间连续改变。实验观察测量时从－1.000 V(此时为反向电压足够大,光电子处于截止状态)开始,缓慢调高外加直流电压(指正向增大,而实际电压绝对值在减小),随着电压的增大,记录使电流开始升高时的电压值,这时对应的电压值就是需要求的遏止电压。在遏止电压附近要多测几个点,以减小误差。此步骤要认真仔细地做。

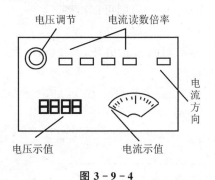

图 3 - 9 - 4

4. 调节小型光栅单色仪的波长读数鼓轮。波长示值是利用螺旋测微计读取的(请参照螺旋测微计)。准线主尺上下相邻两格对应着 50 nm 的波长,鼓轮上每一小格对应 1 nm 的波长,注意读数鼓轮估读小数位。选择适当间隔的 3 种波长的光进行测量,列表记录数据。

5. 以电压 U 为横坐标,电流 I 为纵坐标,根据测量数据,分别在坐标纸上描绘出不同波长单色光光电流与外加电压的关系,即绘伏安特性曲线图。根据曲线图分析,找出光电流开始变化的地方,即找拐点。曲线图中拐点对应的电压便是该频率光波的遏止电压 U_0。

6. 参照图 3 - 9 - 2,在坐标纸上作图,描绘该光电管发生光电效应时入射频率与对应遏止电压的关系,求出斜率 $k = \dfrac{\Delta U_0}{\Delta \nu}$,计算普朗克常量 $h = ek$。

五、 预习思考题

1. 光电效应方程有何意义?
2. 光电效应实验有哪些规律?
3. 什么叫截止频率?什么叫遏止电压?在本实验中,如何确定遏止电压?
4. 在实验中,为了减小测量遏止电压的误差,应采取哪些措施?
5. 根据光电效应如何测量普朗克常量?

六、 实验数据

1. 测量数据

测量不同波长的光谱线照射下光电管的伏安特性,数据记入表 3-9-1 中。

表 3-9-1

波长 λ/nm	电压 U/V	
	电流 I ( )	
波长 λ/nm	电压 U/V	
	电流 I ( )	
波长 λ/nm	电压 U/V	
	电流 I ( )	

2. 绘制伏安特性曲线

在坐标纸上描绘出光电管对应不同波长光谱线的伏安特性曲线,仔细分析曲线图中的拐点位置,找到遏止电压,记录在表 3-9-2 中。

表 3-9-2

测量序号	1	2	3
波长 λ			
频率 ν			
遏止电压 U_0			

注:$e = 1.602 \times 10^{19}$ C, $h = 6.63 \times 10^{34}$ J·s。

3. 绘制 ν-U_0 曲线

参照图 3-9-2,描绘出 ν-U_0 曲线(直线),求出直线斜率,计算普朗克常量,并与参考值进行比较,求出绝对误差和相对误差。最后对实验误差作适当讨论。

七、 注意事项

1. 在进行实验前,汞灯必须充分预热,然后才能开始测量,汞灯一旦点亮,不要随意开关电源。

2. 外加电压从 -1.000 V 起,缓慢调高(负值减小),严禁加高压、大幅度调节。

3. 暗箱盖打开后,严禁用强光照射光电管。

实验十　单缝衍射光强分布的测量

一、 实验目的

1. 理解和观察夫琅和费衍射现象。
2. 学习使用硅光电池(或光电二极管)测量相对光强分布的方法。
3. 绘出单缝衍射相对光强分布曲线,并与理论曲线进行对照。

二、 实验仪器

光强分布仪(光具座、支架、可调狭缝)、He-Ne 激光管、电源、光电池、光点检流计(或 WJF 型数字检流计)及卷尺。

三、 实验原理

光偏离直线方向而传播的现象称为光的衍射现象。衍射现象的实验装置由光源、衍射物及接收光屏组成。当光源与衍射物的距离以及衍射物与光屏的距离都是无限远时,这类衍射称为夫琅和费衍射。本实验仅研究夫琅和费的单缝衍射。单缝夫琅和费衍射是用单缝作为衍射物时的衍射,即入射光和衍射光都是平行光,分别在单缝的两边。

如图 3-10-1 所示,单色光源 S 置于透镜的焦平面上,则由 S 发出的光通过 L_1 后成为平行光垂直照射在单缝 AB 上,根据惠更斯-菲涅耳原理,狭缝处的每一点都可看成是发射球面子波的新波源。新波源发出的子波在单缝后空间形成叠加,叠加图样在无限远处,可用透镜会聚图样到位于焦平面上的接收屏上。在屏幕上可以看到一组平行于狭缝的明暗相间的衍射条纹,中央条纹最亮最宽。由惠更斯-菲涅耳原理可得其光强分布为

$$I = I_0 \frac{\sin^2 \beta}{\beta^2}$$

而

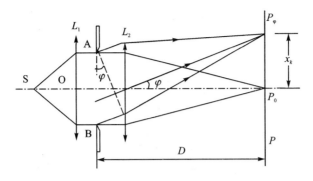

图 3 - 10 - 1

$$\beta = \frac{\pi a \sin \varphi}{\lambda} \qquad (3-10-1)$$

式中,a 为单缝宽度;λ 为入射光波长;φ 为衍射光与透镜光轴的夹角,称为衍射角。

当 $\varphi = 0$ 时,$\beta = 0$,此角位置处光强最大,为 $I = I_0$,是衍射图样中光强的最大值,这是与主光轴平行的光线会聚点处的光强。此条纹称为中央明纹。

除了中央明纹之外,两相邻暗纹之间是各级亮条纹,它们的宽度是中央明纹宽度的二分之一。这些亮条纹的光强最大值称为次极大。这些次极大的角位置依次为

$$\varphi \sim \sin \varphi = \pm 1.43\lambda/a, \pm 2.46\lambda/a, \pm 1.43\lambda/a, \cdots$$

它们的相对光强依次为

$$I/I_0 = 0.047, 0.017, 0.008, \cdots$$

当 $\sin \varphi = k\lambda/a (k = \pm 1, \pm 2, \pm 3, \cdots)$ 时,$\beta = k\pi$,则 $I = 0$,即为暗条纹,与衍射对应的位置是暗条纹的中心。由于 φ 很小,故 $\sin \varphi \approx \varphi$,所以可以认为暗条纹出现在 $\varphi = k\lambda/a$ 处。主极大两侧暗条纹 $k = \pm 1$ 之间的夹角称为中央明纹的角宽度,大小为 $\Delta\varphi = 2\lambda/a$;其他任意相邻两暗条纹之间的夹角称为各级明纹的角宽度,大小为 $\Delta\varphi = \lambda/a$。显然,中央明纹的角宽度是其他各级明纹角宽度的两倍。若入射光波长不变,则 φ 和 a 成反比,缝宽变大,衍射角变小,各级条纹向中央收缩。当 a 足够大($a \gg \lambda$)时,衍射现象不明显。若单缝衍射宽度不变,则 φ 与 λ 成正比。

图 3 - 10 - 2 所示为单缝衍射夫琅和费衍射的相对光强理论分布曲线。在实际实验中,一般使用激光做实验。由于激光束的发散角很小,可将透镜 L_1 省去。如果接收屏远离单缝($D \gg a$),则透镜 L_2 也可省去。这时可简化为如图 3 - 10 - 3 所示。注意,此时的衍射图样是中央有一最大亮斑,其余是以中心最大亮斑为对称的次级亮斑。但光强分布规律即式(3 - 10 - 1)不会改变。

在图 3 - 10 - 3 中,假定 P_φ 到 P_0 的距离为 x_k,而

$$\tan \varphi = x_k/D$$

又因为 φ 很小,$\tan \varphi \approx \sin \varphi$,各级暗条纹衍射角应为

$$\sin \varphi = k\lambda/a = x_k/D \quad k = \pm 1, \pm 2, \pm 3, \cdots$$

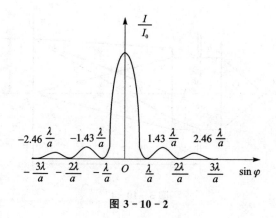

图 3 - 10 - 2

由此求得缝宽

$$a = k\lambda D / x_k \tag{3 - 10 - 2}$$

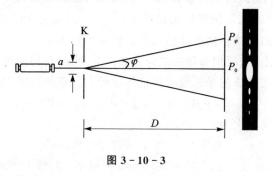

图 3 - 10 - 3

四、 实验仪器介绍

仪器由半导体激光器座、半导体激光器、导轨、二维调节架、一维光强测试装置、小孔狭缝板(见图 3 - 10 - 4)、可调狭缝、扩束平行光管、起偏检偏装置、光电探头、小孔屏、数字式检流计(全套)构成。小孔狭缝板规格如表 3 - 10 - 1 所列。测量一维光强分布装置见图 3 - 10 - 5。

表 3 - 10 - 1

单缝	DF1 $a = 0.1$	DF2 $a = 0.2$	DF3 $a = 0.3$
单丝	DS1 $a = 0.1$	DS2 $a = 0.2$	DS3 $a = 0.3$
小孔	XK1 $\Phi = 0.2$	XK2 $\Phi = 0.3$	XK3 $\Phi = 0.4$
小屏	XP1 $\Phi = 0.2$	XP2 $\Phi = 0.3$	XP3 $\Phi = 0.4$

光电转换元件用硅光电池,数字式检流计测量光电转换后的光电流值。为了实现光强分布的逐点测量,在光电池表面处装一狭缝光阑,用以控制光电池的受光面

积。硅光电池和光阑安装在可以沿屏方向移动的测量装置上,其位置由测量装置准确读出。

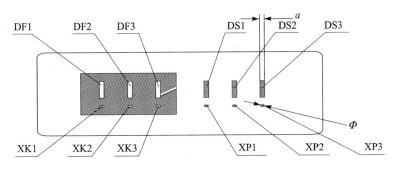

图 3 - 10 - 4

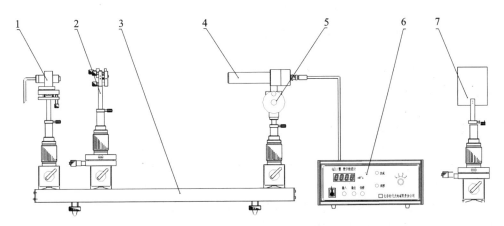

1—激光器;2—单缝或双缝二维调节架;3—导轨;4—光电探头;

5——维光强测量装置;6—数字式检流计;7—小孔屏

图 3 - 10 - 5

数字检流计用于微电流的测量,其正面如图 3 - 10 - 6 所示。

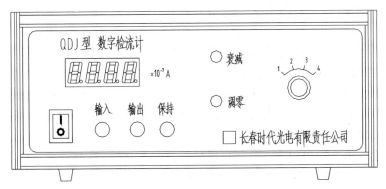

图 3 - 10 - 6

检流计的测量范围为 $1\times10^{-10}\sim1.999\times10^{-4}$ A,分为四挡:

第 1 挡　0.001～1.999×10^{-7}A;

第 2 挡　0.01～19.99×10^{-7}A;

第 3 挡　0.1～199.9×10^{-7}A;

第 4 挡　1～1 999×10^{-7}A。

使用方法:

(1) 接上电源(要求交流稳压(220±11) V,频率 50 Hz 输出),开机预热 15 分钟。

(2) 选择开关置于"1"挡,衰减旋钮置于校准位置(即顺时针转到头,置于灵敏度最高位置),调节调零旋钮,使数据显示为零。

(3) 适当量程,接上测量线即可测量微电流。

(4) 测量信号大于该挡量程,仪器会有超量程指示,即数码管显示"]"或"E",其他三位均显示"9",此时可调高一挡量程。

(5) 衰减旋钮用于测量相对值,只有在旋钮置于校准位置(顺时针到底)时,数显窗才指示标准电流值。

(6) 测量过程中,需要将某数值保留下来时,按下保持开关,此时,无论被测信号如何变化,前一数值均保持不变。

五、 实验内容及步骤

1. 按图 3－10－5 搭好实验装置。接好半导体激光电源。

2. 打开激光器,用小孔屏调整光路,使出射的激光束与导轨平行。

3. 打开检流计电源,预热及调零,用测量线连接其输入孔与光电探头。

4. 调节二维调节架,选择所需要的单缝、双缝、可调狭缝等,对准激光束中心,使之在小孔屏上形成良好的衍射光斑。

5. 移去小孔屏,调整一维光强测量装置,使光电探头中心与激光束高低一致,移动方向与激光束垂直,起始位置适当。

6. 开始测量,转动手轮,使光电探头沿衍射图样展开方向(X 轴)单向平移,以等间隔的位移(如 0.5 mm 或 1 mm 等)对衍射图样的光强进行逐点测量,并记录位置坐标 X 和对应的检流计(置适当量程)所指示的光电流值读数 I,要特别注意衍射光强的极大值和极小值所对应坐标的测量。

7. 绘制衍射光的相对强度 I/I_0 与位置坐标 x 的关系曲线。由于衍射光的强度与检流计所指示的电流读数成正比,因此可用检流计的光电流的相对强度 i/i_0 来代替衍射光的相对强度 I/I_0。

8. 在坐标纸上作出(I/I_0)－x 的相对光强分布曲线,并与理论结果进行比较。由式(3－10－2)及实验光强分布曲线求出单缝宽度。

9. 由于激光衍射所产生的散斑效应,光电流值显示将在实际值的 10% 范围内上下波动,属正常现象,实验中可根据判断选一中间值,由于一般相邻两个测量点(如间隔为 0.5 mm 时)的光电流值相差一个数量级,故该波动一般不影响测量。

六、 预习思考题

1. 什么是夫琅和费衍射?它与菲涅耳衍射有何区别?

2. 衍射图样的变化与哪些参量有关?

3. 当单缝的宽度发生变化时,衍射图样会有哪些变化?

4. 在实验的过程中,如果激光器的输出强度发生改变,则单缝衍射图样和光强分布曲线会有什么变化?

5. 如果单缝衍射曲线关于中央明纹左右分布不对称,其原因何在?

6. 若单缝到接收屏的距离发生改变,则单缝衍射图样和光强分布曲线会有什么变化?

七、 实验数据与数据处理

光电流测量数据记入表 3 - 10 - 2 中。

表 3 - 10 - 2

$x/$ mm								
i								
$x/$ mm								
i								
$x/$ mm								
i								

八、 注意事项

1. 不要用眼睛直视激光束,以免损伤眼睛。

2. 使用检流计时,应避免电流过大,即避免光点游标偏出刻度盘。

3. 根据衍射光强的不同,应选择检流计的相应挡位。

4. 实验装置应固定于能防振的操作台上。

实验十一 示波器的使用

一、 实验目的

1. 熟悉 FG - 506 的低频信号发生器、脉冲信号发生器的各个按钮、开关的作用及其使用方法。

2.初步掌握使用示波器观察电信号波形,定量测出脉冲信号、正弦波信号和三角波信号的波形参数。

3.初步掌握示波器、信号发生器的使用方法。

4.了解用示波器测量信号频率的方法。

二、 实验仪器

LM4320 双踪示波器、FG-506 低频信号发生器、导线、信号线等。

三、 实验原理

1. 正弦交流信号和方波脉冲信号是常用的电激励信号,可分别由低频信号发生器和脉冲信号发生器提供。正弦信号的波形参数是幅值 U_m、周期 T(或频率 f)和初相;脉冲信号的波形参数是幅值 U_m、周期 T 及脉宽 t_k。本实验装置能提供频率范围为 2 Hz~150 kHz 的正弦波及方波,并有 6 位 LED 数码管显示信号的频率。正弦波的幅值在 0~5 V 之间连续可调,方波的幅值在 1~3.8 V 范围可调。

2. 电子示波器是一种信号图形观测仪器,可测出电信号的波形参数。从荧光屏的 Y 轴刻度尺并结合其量程分挡选择开关(Y 轴输入电压灵敏度 V/div 分挡选择开关),读得电信号的幅值;从荧光屏的 X 轴刻度尺并结合其量程分挡(时间扫描速度 t/div 分挡)选择开关,读得电信号的周期、脉宽、相位差等参数。为了完成对各种不同波形不同要求的观察和测量,它还有一些其他的调节和控制旋钮,希望大家在实验中加以摸索和掌握。

一台双踪示波器可以同时观察和测量两个信号的波形和参数。

示波器工作原理请参看前面仪器介绍。

四、 实验内容

(一) 双踪示波器的自检

将示波器面板部分的"标准信号"插口,通过示波器专用同轴电缆接至双踪示波器的 Y 轴输入插口 Y_1 或 Y_2 端,然后开启示波器电源,指示灯亮。稍后,调节示波器面板上的"辉度""聚焦""辅助聚焦""X 轴位移""Y 轴位移"等旋钮,使在荧光屏的中心部分显示出线条细而清晰、亮度适中的方波波形;通过选择幅度和扫描速度,并将它们的微调旋钮旋至"校准"位置,从荧光屏上读出该"标准信号"的幅值与频率,并与标称值(0.5 V,1 kHz)作比较。

(二) 方波脉冲信号的观察和测定

(1) 将电缆插头接在 THM-3 型实验箱脉冲信号的输出插口上,选择方波信号输出。

(2) 调节实验箱方波的输出幅度为任意固定值,频率调节显示为 300 Hz。使用示波器观测该信号,数据记录在表格 3 - 11 - 1 对应位置。

(3) 使信号频率保持在 300 Hz,调节实验箱上输出信号电压幅值,观测波形参数的变化;调节实验箱频率旋钮改变输出信号频率,观测波形参数变化(不需记录)。

(三) 正弦波信号的观测

(1) 波形选择为正弦波信号,调节实验箱正弦波的输出幅度为任意固定值,频率调节显示为 50 Hz。使用示波器观测该信号,数据记录在表格 3 - 11 - 1 对应位置。

(2) 使信号频率保持在 50 Hz,调节实验箱上输出信号电压幅值,观测波形参数的变化;调节实验箱频率旋钮改变输出信号频率,观测波形参数变化(不需记录)。

(四) 三角波信号的观测

(1) 波形选择为三角波信号,调节实验箱三角波的输出幅度为任意固定值,频率调节显示为 20 kHz。使用示波器观察测量该信号,数据记录在表格 3 - 11 - 1 对应位置。

(2) 使信号频率保持在 20 kHz,调节实验箱上输出信号电压幅值,观测波形参数的变化;调节实验箱频率旋钮改变输出信号频率,观测波形参数变化(不需记录)。

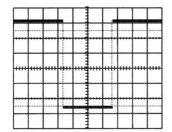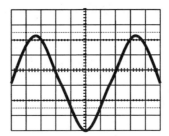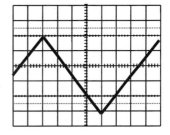

图 3 - 11 - 1

表 3 - 11 - 1

波　　形	校准信号	方形波	正弦波	三角波
频　　率	1 kHz	300 Hz	50 Hz	20 kHz
时间偏转因素"t/div"位置				
一个周期信号水平方向占有的格数				
信号周期				
电压偏转因素"V/div"位置				
峰峰波形的格数				
峰峰值				

五、 预习思考题

1.在观测正弦波的实验中,示波器内的扫描发生器一定要提供锯齿波吗?为什么?

2.现已知示波器本身是正常的,但是由于各个旋钮的位置不合适,导致开机后看不到亮线,应该采取什么措施?

六、 注意事项

1.示波器的辉度不要过亮。

2.调节仪器旋钮时,动作不要过快、过猛。

3.调节示波器时,要注意触发开关和电平调节旋钮的配合使用,以使显示的波形稳定。

4.作定量测定时,"t/div"和"V/div"的微调旋钮应旋置"标准"位置。

5.为防止外界干扰,信号发生器的接地端与示波器的接地端要相连(称共地)。

6.不同品牌的示波器,各旋钮、功能的标注不尽相同,实验前请详细阅读所用示波器的说明书。

七、 补充材料:FG-506 函数波发生器面板功能介绍

图 3-11-2 所示为 FG-506 函数波发生器。其面板上各按钮的功能如表 3-11-2 所列。

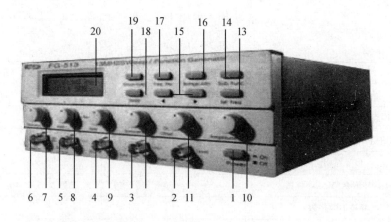

图 3-11-2

表 3－11－2

编 号	面板表示	名 称	功 用
1	Power On /Off	电源开关	按下开关则开机,再按则关机
2	Func Out	各种波形的输出端	输出峰-峰值是 10 V(50 Ω 的负载)或 20 V(open 回路)
3	Sync Out	同步 TTL pulses (Clock)输出端	从 2 Hz～12 MHz
4	Vcg In	外加时变或非时变信号输入端	输入电压信号 0～10 V 会导致 1:100 频率变化。此 1:100 的频率变化只在 VCG 附加功能打开时才有效
5	Swp Out /Trig In	扫描波输出端触发输入端	线性或对数 Sweep(斜波)的输出端。也用在 trigger 输入端以接收 TTL pulses 而触发产生功能
6	Ext Freq In	外接频率输入端	最大输入不可大于 250 V/100 MHz
7	Frequency	频率范围调整钮	适用于所有频率范围
8	Width	扫描宽度调整钮	线性和对数扫描宽度调整为 100:1
9	Rate	扫描速度调整钮	扫描速度调整从 10 ms 到 5 s
10	Symmetry	输出波形对称度调整钮	改变输出信号(主要和 Clock)对称度/工作周期,从 10%到 90%
11	DC Offset	直流抵补调整钮	调整输出波形的 DC 值,可改变:最大±10 V(到 open 回路),或±5 V(到 50 Ω 负荷)
12	Amplitude	波幅大小调整钮	调整信号的输出振幅,峰-峰值 20 V(峰-峰值 10 V 到 50 Ω 负载)是在 Func Out 端点最大值
13	Ext Freq	显示外测的频率按钮	按下此键时,显示器出现 Ext,仪器可自动调整计频器范围。外加连续信号,最大 250 V/100 MHz 可输入到 Ext Freq In 输入端
14	Sub Func	附加功能的选择按钮	按此键输入附加功能参数(对称,VCG In,DC Offect,Sweep[Lin/Log]和 inverted pulse),然后以游标键选择参数(显示器上有 off 或 on),之后再按 Sub Func 键输入参数,按 Mode/Func 键离开此功能
15	Scroll	功能转换按钮	向左或向右可以选择特定函数参数
16	Range /Attn	频率范围/输出衰减按钮	按键可分别切换至 Range(频率)或 attenuation(衰减),再用功能转换按钮可以选择频率范围,或在三个衰减值中选一个
17	Freq/Per	显示频率/周期按钮	按键可分别切换至频率或周期,可在液晶显示器上看出

编 号	面板表示	名 称	功 用
18	Reset	重新设定起始状态按钮	一开机即是连续正弦波
19	Mode/Func	工作状态/波形选择按钮	按键可分别切换至 Mode 或 Func。每按此键,triangle/cursor(三角形/游标)即改变,若显示了右三角形/游标,则用功能转换按钮选出四个信号(正弦波、方波、三角波、DC)之一,若显示了左三角形/游标则用功能转换按钮选 mode(CONT,TRIG,GATE,CLOCK)
20	LCD display	液晶显示器	液晶显示器,16 字元,2 行,6 个半数位计频器,4 位数解析度

实验十二　惠斯通电桥测电阻

一、 实验目的

1. 掌握惠斯通电桥测电阻的原理。
2. 学会正确使用箱式电桥测电阻的方法。

二、 实验仪器

万用电表、滑线变阻器、电阻箱、直流电源、待测电阻、QJ23 型箱式电桥、开关和导线等。

三、 实验原理

(一) 惠斯通电桥

"电桥"是很重要的电磁学基本测量仪器之一。它主要用来测量电阻器的阻值、线圈的电感量和电容器的电容及其损耗。

为了适合不同的测量目的,设计了多种不同功能的电桥。最简单的是单臂电桥,即惠斯通电桥(如图 3 - 12 - 1 所示),用来精确测量中等阻值(几十 Ω 至几十万 Ω)的电阻。此外还有测量低阻值(几 Ω 以下)的双臂电桥,即开尔文电桥;测量线圈电感量的电感电桥;测量电容器电容量的电容电桥;还有测量电感又能测量电容及其损耗的交流电桥等。尽管各种电桥测量的对象不同、结构各异,但基本原理和思想方法大致相同。因此,学习掌握惠斯通电桥的原理不仅能为正确使用单臂电桥,而且也为分析其他电桥的原理和使用方法奠定了基础。

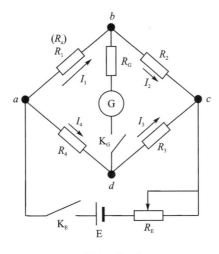

图 3－12－1

图 3－12－1 中 ab、bc、cd 和 da 四条支路分别由电阻 $R_1(R_x)$、R_2、R_3 和 R_4 组成,称为电桥的四条桥臂。通常,ab 桥臂接待测电阻 R_x,其余各臂电阻都是可调节的标准电阻。在 bd 两对角间连接检流计、开关和限流电阻 R_G。ac 两对角间连接电池、开关和限流电阻 R_E。当接通电键 K_E 和 K_G 后,各支路中均有电流通过,检流计支路起了沟通 abc 和 adc 两条支路的作用,可直接比较 bd 两点的电势,电桥之名由此而来。适当调整各臂的电阻值,可以使流过检流计的电流为零,即 $I_G = 0$。这时,称电桥达到了平衡。平衡时两点的电势相等。根据分压器原理可知

$$U_{bc} = U_{ac}\frac{R_2}{R_1 + R_2} \tag{3-12-1}$$

$$U_{dc} = U_{ac}\frac{R_3}{R_3 + R_4} \tag{3-12-2}$$

平衡时,$U_{bc} = U_{dc}$,即

$$\frac{R_2}{R_1 + R_2} = \frac{R_3}{R_3 + R_4}$$

整理化简得到

$$R_1 = \frac{R_2}{R_3}R_4 = R_x \tag{3-12-3}$$

由式(3－12－3)可知,待测电阻 R_x 等于 $\dfrac{R_2}{R_3}$ 与 R_4 的乘积。通常,称 R_2、R_3 为比例臂,与此相对应的 R_4 为比较臂。所以电桥由四臂(测量臂、比较臂和两条比例臂)、检流计和电源三部分组成。与检流计串联的限流电阻 R_G 和开关 K_G 都是为在调节电桥平衡时保护检流计,不使其在长时间内有较大电流通过而设置的。

（二）交换法减小电桥的系统误差

当电桥灵敏度(主要是检流计灵敏度)足够高时,主要考虑 R_2、R_3、R_4 引起的误

差,此时,待测电阻的相对误差可按下式计算:

$$E_r = \frac{\Delta R_x}{R_x} = \frac{\Delta R_2}{R_2} + \frac{\Delta R_3}{R_3} + \frac{\Delta R_4}{R_4} \qquad (3-12-4)$$

此式说明:间接测量值 R_x 的相对误差与 R_2、R_3、R_4 三电阻的相对误差有关。如何减小和修正这一系统误差呢?可以采用交换法,即先接好电桥,调节 R_4 使检流计无电流通过,记下 R_4 的值,不必算出 R_x,然后将 R_x 和 R_4 交换,调节 R_4 再次使检流计指在零处,记下这时 R_4' 的值,则

$$R_x = \frac{R_3}{R_2}R_4' \qquad (3-12-5)$$

联立式(3-12-3)和式(3-12-4),有

$$R_x = \sqrt{R_4 \cdot R_4'}$$

由误差传递公式有

$$\frac{\Delta R_x}{R_x} = \frac{1}{2}\left(\frac{\Delta R_4}{R_4} + \frac{\Delta R_4'}{R_4'}\right) = \frac{\Delta R_4}{R_4}$$

上式说明:待测电阻 R_x 的误差只与用以比较的标准电阻 R_4 的误差有关,如果选用精确度较高的标准电阻箱,这样 R_x 系统误差就可以减小。显然采用交换法可以提高测量值的精确度。

(三) 双臂电桥

单臂电桥(惠斯通电桥)可以用来较好地测定中、高值电阻。如果用它来测量低值电阻,由于电路中导线本身的电阻及结点接触电阻的影响,将使测量结果很不准确。其影响主要集中表现在四个桥臂中:比例臂 R_1 和 R_2 可用阻值较高的电阻。因此,构成这两臂的导线电阻和接触电阻对实验结果的影响可忽略,但在测量低值电阻时,由于待测电阻 R_x 阻值很小,故 R_S 也应很小,构成 R_x、R_S 两比例臂的导线电阻及接触电阻与 R_x、R_S 相比,已不可忽略,对实验结果的影响将变得很大。

为了消除上述电路中导线电阻和结点接触电阻(合称附加电阻)的影响,我们改用双臂电桥(开尔文电桥),如图 3-12-2 所示,此电路在惠斯通电桥的基础上增加了两个桥臂 R_3、R_4,通过适当选取桥臂电阻 R_3、R_4 的阻值,可以消除附加电阻的影响,这就是"双臂"电桥名称的来历。

在图 3-12-2 中,首先使电源一端直接与 R_x 相连,另一端直接与 R_S 相连,消除了图 3-12-1 中 A 到 R_x,C 到 R_S 的两端导线电阻;为消除结点的接触电阻,进一步又将 R_x 一端分为 A_1 和 A_2 两个结点,将 R_S 的一端分为 D_1 和 D_2 两个结点。这样,A_1、D_1 的接触电阻可并入电源的内阻,被排除到平衡电桥桥路之外,对测量结果没有影响,而 A_2、D_2 两点的接触电阻可并入 R_1、R_2 中,由于 R_1、R_2 本身电阻较大,故对测量结果的影响也可以忽略。同样的道理,我们把 R_x、R_S 相向的两端也分为两个结点 B_1、B_3 和 B_2、B_4,如图 3-12-2 中所示,这样,B_3、B_4 两点的接触电阻将分别被并入到桥臂电阻 R_3、R_4 中。由于 R_3、R_4 的阻值也较高,故 B_3、B_4 两点的接触

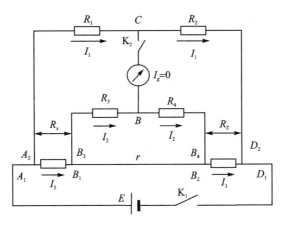

图 3 - 12 - 2

电阻的影响也可不计,这样一来,就只剩下 B_1、B_2 两点的接触电阻和它们之间的连线电阻了。将 B_1、B_2 两点用粗导线相连接,并设 B_1、B_2 两点间的连线电阻和接触电阻的总和为 r,后面将要证明,如果适当调节 R_1、R_2、R_3、R_4 和 R_S 的阻值,就可以消除附加电阻 r 对测量结果的影响。

在实验中,通过适当调节 R_1、R_2、R_3、R_4 和 R_S 的阻值,使电桥达到平衡,也就是通过检流计的电流 $I_g = 0$,此时,通过桥臂 R_1 和 R_2 的电流相等,记为 I_1。通过桥臂 R_3 和 R_4 的电流相等,记为 I_2。通过待测电阻 R_x 和 R_S 的电流也相等,记为 I_3。同时可知,B、C 两点的电位相等,故有

$$I_1 R_1 = I_3 R_x + I_2 R_3$$
$$I_1 R_2 = I_3 R_S + I_2 R_4$$

又

$$I_2(R_3 + R_4) = (I_3 - I_2)r$$

由此可得

$$R_x = \frac{R_1}{R_2} R_S + \frac{rR_4}{R_3 + R_4 + r}\left(\frac{R_1}{R_2} - \frac{R_3}{R_4}\right) \qquad (3 - 12 - 6)$$

在式(3 - 12 - 6)中,如果令 $R_1 = R_3$,$R_2 = R_4$,或者 $R_1/R_2 = R_3/R_4$,则等式右边第二项结果为零,即

$$\frac{rR_4}{R_3 + R_4 + r}\left(\frac{R_1}{R_2} - \frac{R_3}{R_4}\right) = 0$$

于是式(3 - 12 - 6)变成了

$$R_x = \frac{R_1}{R_2} R_S$$

结果与 r 无关,完全消除了附加电阻对实验结果的影响。

由此可见,实验中为消除附加电阻的影响,关键是保证桥臂电阻 $R_1/R_2 = R_3/R_4$

在电桥使用过程中始终成立。在实际应用中,通常是选取两对桥臂的阻值分别相等,即 $R_1 = R_3, R_2 = R_4$,为此常将电桥做成一种特殊的结构,即将两对比例臂(R_1 和 R_3,R_2 和 R_4)采用所谓的双十进电阻,将两个相同的十进电阻的转臂连接到同一个转轴上,因此在转轴的任一位置上都将保证 R_1 和 R_3、R_2 和 R_4 的阻值分别相等。QJ44 双臂电桥即采用这种方法。R_1、R_2 两个电阻实际为阻值依次为 11 Ω、90 Ω、454.5 Ω、454.5 Ω、90 Ω、11 Ω 的电阻串联而成。从左边第一个节点到右边最后一个节点处,左右电阻的比值 R_1/R_2 分别对应着 0.01、0.1、1、10、100;R_3、R_4 的结构同理。这五个比值就是量程因素读数。

值得指出的是,在双臂电桥中,电阻和均有四个接线端,这类接线方式的电阻称为四端电阻。

四、 实验内容

(一) 用箱式电桥测电阻

箱式电桥有多种型号,此处仅选用 QJ23 型电桥,熟悉这种电桥面板上旋钮、按键的功能。QJ23 型单臂电桥面板如图 3-12-3 所示。

图中下部四个读数盘就是 R_4;底部分别为电源、检流计的两个接通按钮、检流计灵敏度调节旋钮以及待测电阻的两个接线柱;中上部左边是检流计及检流计调零旋钮,右边是比例臂选择开关,也称倍率旋钮;左右两端分别为外接检流计、外接电源接线柱,及外接与内接选择开关。

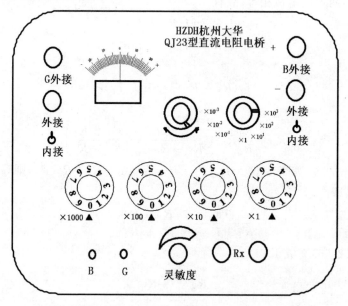

图 3-12-3

使用方法介绍：

（1）检流计转换开关拨向"内接"，按下"G"按钮，将检流计指针调至零位。

（2）估计被测电阻值并根据表 3-12-1 将量程倍率转动到适当数值。

（3）按下"B"按钮并调节测量盘旋钮，使指针重新回到零位，最终测量结果＝（量程倍率读数）×（测量盘读数）。

（4）在测量 10 MΩ 以上阻值时，可外接高灵敏度检流计，电源电压可以相应提高，但不得超过表 3-12-1 所列数值。

表 3-12-1

量程倍率	有效量程	准确度等级	电源电压/V
×0.001	1～11.11 Ω	0.5	
×0.01	10～111.1 Ω	0.2	4.5
×0.1	100～1 111 Ω		
×1	1～11.11 kΩ	0.1	
×10	10～111.1 kΩ		9
×100	100～1 111 kΩ	0.2	15
×1000	1～11.1 MΩ	0.5	

（5）外接电源时，电源转换开关拨向"外接"，电源按极性接在"B"的接线柱上。

（6）电桥不使用时，应放开"B"、"G"旋钮，检流计和电源转换开关拨向"外接"。

在一般正常情况下，为预防因通过检流计中的电流过大而损坏检流计，在测量时可先把灵敏度调至最低，然后逐渐提高灵敏度。如果指针偏向"＋"的一边，说明读数盘读数需要加大。如果指针偏向"－"的一边，说明读数盘读数需要减小。

（二）自搭惠斯通电桥测电阻

它是由电源、检流计、滑线变阻器、电阻箱、待测电阻、开关等组成。惠斯通电桥的电路如图 3-12-4 所示。

这就组成了一个惠斯通电桥。b、d 分别为同一个滑线变阻器的两端，c 为中间滑动头，c、b 间阻值为 R_2，c、d 间阻值为 R_3。R_4 为电阻箱，R_x 为待测电阻（滑线变阻器）。接通电源闭合 K_G，若检流计不平衡，调节 R_4 使 G 的指针指到零处，记下读数 R_4。调换 R_4、R_x 的位置，重新调节 R_4 使得检流计达到平衡，记录读数 R'_4。

（三）QJ44 型双臂电桥

QJ44 型直流双臂电桥是携带型测量 0.000 1～11 Ω 电阻的电桥，面板如图 3-12-5 所示。

全量程由五个量限（量程因素读数）、步进读数盘及滑线读数盘组成。内附晶体管检流计和工作电源，所以此电桥不需任何其他附件即可投入测量工作。适合工矿企业的实验室、车间现场或野外工地使用，对直流低值电阻作准确测量。QJ44 型直

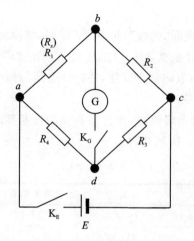

图 3 - 12 - 4

流双臂电桥体积小,测量迅速,使用方便。为配合外接高灵敏度指零仪及大容量电源需要,电桥有外接指零仪插座及外接电源接线端钮。开关、接线柱及指零仪表头等仪器的部件安装在一块金属板上。表头指针偏格清晰,内附指零仪设有灵敏度调节,抗振强度高,整个仪器在带盖的金属箱内,携带非常方便。

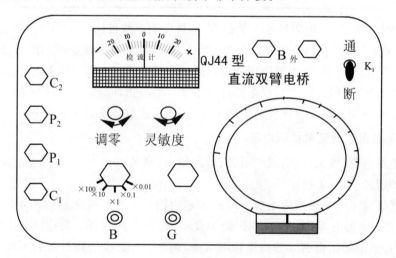

图 3 - 12 - 5

使用方法:

(1) 在外壳底部的电池盒内,装入 1.5 V 电池(R20)4～6 节并联使用和 9V6F22 电池 2～3 节并联使用。只要按极性装入电桥就能正常工作。如果外接 1.5～2 V 直流源,则电池盒内的 1.5 V 电池应预先全部取出。

(2) 将被测电阻按四端接线法接在电桥相应的 C_1、P_1、P_2、C_2 的接线柱上,如图 3 - 12 - 6 所示 ,A、B 之间为被测电阻 R_x。

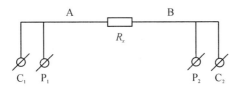

图 3 - 12 - 6

（3）"K_1"开关扳到"通"位置,晶体管放大器通电工作,预热 5 分钟后,使调零电位器指针指在零位上。

（4）估计被测电阻值大小,选择适当量程因素位置,先按下"G"按钮,再按下"B"按钮,调节步进盘和滑线盘,使指零仪指针指在零位上,电桥平衡后,被测量的电阻值按下式计算:

被测电阻值(R_x)＝量程因素读数×（步进盘读数＋滑线盘读数）

（5）在测量未知电阻时,为避免损坏指零仪,指零仪的灵敏度调节旋钮应放在最低位置,电桥初步平衡后再增加指零仪灵敏度。在指零仪灵敏度较高或环境因素的影响下,有时指针表针零位可能会改变,在测量前随时可以调节零位。

注意事项：

（1）测量电感电路中的直流电阻时,应先按下"B"按钮,再按下"G"按钮。断开时,应先断开"G"后再断开"B"按钮。

（2）测量 0.1 Ω 以下电阻时,"B"按钮应间歇使用。

（3）测量 0.1 Ω 以下电阻时,C_1、P_1、P_2、C_2 接线柱到被测电阻之间的连接导线电阻为 0.005～0.01 Ω,测量其他阻值时,连接导线不大于 0.05 Ω。

（4）电桥使用完毕后,"B"与"G"按钮应松开。"K_1"开关应放在"断"位置,避免消耗指零仪工作电源。

（5）如果电桥长期不用,应取出内附电池。

（6）仪器使用中,如发现指零仪灵敏度显著下降和指针不稳定,可能是因电池寿命终止引起,应立即更换新电池。

五、 预习思考题

1.箱式电桥中比例臂的倍率 k 的选取原则是什么？

2.如果用惠斯通电桥测量一个微安表的内阻,应该怎样做才能保证被测的微安表不超过量程？

3.在电桥达到平衡之后,如果互换电源和检流计的位置,电桥是否仍然能保持平衡？为什么？

4.为什么测量低值电阻时,都要采用四端接线法？

5.试比较双臂电桥和单臂电桥有哪些异同。

六、 实验数据

1. QJ23 型箱式电桥测电阻
数据记入表 3-12-2 中。

表 3-12-2

测量序号	1	2	3	4	5	
$k=R_2/R_3$						平均值
R_4						
$R_x=kR_4$						
ΔR_x						

结果表示:$\overline{R_x}\pm\overline{\Delta R_x}=$ _____

2. 自搭惠斯通电桥测电阻
数据记入表 3-12-3 中。

表 3-12-3

测量序号	1	2	3	4	5	
R_4						平均值
R_4'						
$R_x=\sqrt{R_4R_4'}$						
ΔR_x						

结果表示:$\overline{R_x}\pm\overline{\Delta R_x}=$ _____

3. QJ44 型双臂电桥测电阻
数据记入表 3-12-4 中。

表 3-12-4

测量序号	1	2	3	4	5	
$k=R_2/R_3$						平均值
R_4						
$R_x=kR_4$						
ΔR_x						

七、 补充材料:标准电阻

标准电阻器具有阻值稳定,残余电感、分布电容及热效应都极其微小,结构简单,使用方便等特点,是保存和传递电阻单位的标准量具。

(一) 分 类

按阻值大小可分为:

低阻:$10^{-4} \sim 12^{-2} \Omega$;

中阻:$10^{1} \sim 10^{5} \Omega$;

高阻:$10^{6} \sim 10^{8} \Omega$。

(二) 结 构

标准电阻的结构如图 3-12-7 所示,电阻线圈绕在黄铜骨架上,线圈首尾端通过铜接线柱引出。面板上的插孔是供测温用的测温孔。

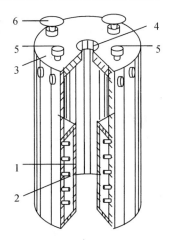

1—绕线的骨架;2—绕在骨架上的锰铜线;

3—固定电流与电位端钮用的绝缘上盖;

4—温度计的插孔;5—电位端钮;6—电流端钮

图 3-12-7

高阻值的标准电阻为消除漏电电流的影响,采取屏蔽措施,具有三个接线柱,如图 3-12-8(a)所示。低阻值的标准电阻为减少接线电阻和接触电阻的影响,具有四个接线柱,其中两个较粗的端钮称为电流端钮,两个较细的端钮称为电位端钮,如图 3-12-8(b)所示。

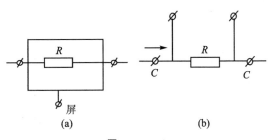

(a)   (b)

图 3-12-8

(三) 使用与维护

(1) 在规定的技术条件下使用与保护。要求环境温度变化小,无腐蚀性气体,无强光直接照射。

(2) 轻拿轻放,避免碰撞和剧烈振动。

(3) 当偏离 20℃使用时,按下式计算电阻值:

$$R_t = R_0 [1 + a(t-20) + b(t-20)^2]$$

式中,R_0、a、b 由生产厂家给定。

(4) 不允许过载。

(5) 标准电阻应一年检定一次,出厂检定书及历年检定数据应妥善保存。

实验十三　模拟法测绘静电场

一、 实验目的

1. 学习用模拟法测绘静电场的原理和方法。
2. 加深对电场强度和电力线、电位概念的理解。
3. 测绘几种静电场的等位线。

二、 实验仪器

静电场描绘议(包括探针弓架、导电层电极玻璃和导电纸)、数字式万用电表、15 V 稳压电源、8 开坐标纸。

三、 实验原理

(一) 描绘静电场的困难

一组带电电极所产生的静电场,原则上可用理论计算方法求出。带电体在其周围的空间产生静电场,通常人们用空间各点的电场强度 E 和电势 U 的分布来表示静电场。为了更形象地描绘静电场,人们还引入了电力线与等势线(面)两个概念,电力线与等势线(面)能够更直观地描绘静电场。由于 E、U 的空间分布取决于各带电体的形状和相对位置,因此,除了极少数简单的情况外,一般很难用解析法得到电势及电力线的分布。若直接对静电场进行测量,则当把探针放入静电场时,探针会产生感应电荷,这些电荷会影响原电场,使电场产生变化。为了克服上述困难,现在一般采用间接测量的方法——模拟法。

(二) 模拟法

模拟法是指不直接研究自然现象或过程本身,而利用与这个自然现象或过程相似的模型来进行研究的一种方法。模拟可分为物理模拟和数学模拟,物理模拟是指保持同一物理本质的模拟,数学模式是两个不同物理本质的自然现象或过程可用同样的数学方程加以描述,因而可用其中的一个模拟另一个。本实验采用的是数学模拟法。

微分方程理论告诉我们:在一个稳定场中,范定方程与边界条件一旦确定,则其解是唯一确定的。由此可得出结论:两个不同性质的物理场,若它们满足的范定方程及边界条件相同,则它们的解是一一对应的。推而广之,若我们对一种易于测量的场进行测量并得到准确结果,则与其对应的另一物理场也可得知。

(三) 电流场模拟静电场

本实验是用稳恒电流场来模拟静电场。这是因为两种场遵守的规律在数学形式上具有相似性。利用这种相似性,对较容易测量的电场进行研究代替不易测量的静电场的研究。

稳恒电流场与静电场是两种不同性质的场,但是它们两者在一定条件下有相似的空间分布,即两种场遵守规律在形式上相似,都遵守高斯定律,都可以引入电位 U,电场强度 E,其关系如下:

$$E = \frac{\mathrm{d}U}{\mathrm{d}l}$$

对于静电场,电场强度在无源区域内满足以下积分关系:

$$\oint_s \boldsymbol{E} \cdot \mathrm{d}\boldsymbol{s} = 0, \quad \oint_l \boldsymbol{E} \cdot \mathrm{d}\boldsymbol{l} = 0$$

对于稳恒电流场,电流密度矢量 $\boldsymbol{j}$ 在无源区域内也满足类似的积分关系:

$$\oint_s \boldsymbol{j} \cdot \mathrm{d}\boldsymbol{s} = 0, \quad \oint_l \boldsymbol{j} \cdot \mathrm{d}\boldsymbol{l} = 0$$

由此可见,$\boldsymbol{E}$ 和 $\boldsymbol{j}$ 在各自区域中满足同样的数学规律。在相同的边界条件下,具有相同的解析解。因此,我们可以用稳恒电流场来模拟静电场。在模拟的条件上,要保证电极形状一样,电极电位不变,空间介质均匀,再任何一个考察点,均有 $U_{稳恒} = U_{静电}$ 或 $E_{稳恒} = E_{静电}$。

静电场中,带电导体为一等势体,因而在电流场中用相同形状的导体电极来代替产生静电场的带电导体,并用电源保持电极间的电压恒定来模拟静电场中带电导体上电位的恒定,电流场的边界条件及形状依静电场而定。这样静电场中的电势线即与电流场中的电势线一一对应。事实上,只要使两电极的形状分别与静电场中两个不相邻的等势线相重合,静电场中的等势线即与电流场中的等势线一一对应。

作上述处理后,电流场中电势的边界条件与静电场中电力线边界条件相同。由唯一性定理可知:电流场中等势线簇与静电场中电力线簇一一对应。

(四) 电流场和静电场

这两个场本来是两种性质完全不同的场,但由于这两个场都可以用电位和电场来描述,且遵守的规律在形式上完全形似,在满足一定条件下,就可以用电流场来模拟静电场。模拟场要满足的条件如下：

（1）电流场的导电媒质分布要与静电场中的电介质分布相应，即静电场中的电介质分布是均匀的，则电流场的导电媒质分布也要均匀。

（2）静电场中带电导体表面如果是等位面，则电流场中的导体表面也要等位面，即要求用优良导体作电极。

（3）电流场中的电极形状及分布，要与静电场中带电导体的形状及分布相似。

（五）长同轴圆柱面间的模拟场

在满足模拟场条件下，可导出模拟场中电位和电场所遵守的规律。由于同轴圆周面中部的对称性，在垂直于柱面而互相平行的平面上，其电场的分布是相同的，其电位及电场的分布如图 3-13-1 所示，图中虚线为等位线，实线为电力线，这样，我们可在二维的平面上进行模拟。

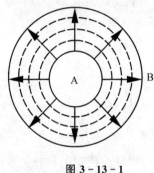

图 3-13-1

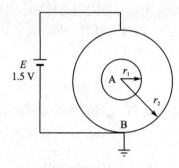

图 3-13-2

（1）模拟模型的设计：根据模拟场要满足的条件，模拟电极要用优良导体，其形状与柱面截面相似，同轴放置在导电纸上，在电极上接上电源，就构成了模拟装置。

（2）模拟场的规律：按模拟模型，设电极 A 的半径为 r_1，电极 B 的内半径为 r_2。在电极 A、B 上接电源，电源电压为 V_0，则 A 点的电位为 U_1，B 点的电位为 $U_2=0$。这样，$U_1-U_2=0$，在 A、B 点之间就建立了一个稳恒的电流场。

设导电纸的导电媒质的厚度为 t，电阻率为 ρ，则半径为 r 的圆周到半径为 $r+\mathrm{d}r$ 的四周之间的不良导体薄块的电阻为

$$\mathrm{d}R = \rho\frac{\mathrm{d}r}{S} = \rho\frac{\mathrm{d}r}{2\pi rt} = \frac{\rho}{2\pi t}\cdot\frac{\mathrm{d}r}{r}$$

由此积分得到半径为 r 的圆柱到半径为 r_2 的圆周之间的电阻为

$$R_{r\rightarrow r_2} = \frac{\rho}{2\pi t}\int_r^{r_2}\frac{\mathrm{d}r}{r} = \frac{\rho}{2\pi t}\ln\frac{r_2}{r} \qquad (3-13-1)$$

同理，半径为 r_1 到 r_2 间的电阻为

$$R_{r_1\rightarrow r_2} = \frac{\rho}{2\pi t}\ln\frac{r_2}{r_1} \qquad (3-13-2)$$

于是电极 A 到 B 的总电流为

$$I_{r_1 \to r_2} = \frac{U_1}{R_{r_1 \to r_2}} = \frac{U_1 \cdot 2\pi t}{\rho \ln \frac{r_2}{r_1}} \quad\quad (3-13-3)$$

$$(r = r_1, U_1 = V_0, r = r_2, U_2 = 0)$$

则外柱面至半径为 r 的柱面的电位为

$$U_r = I_{r_1 \to r_2} R_{r \to r_2} = \frac{U_1}{R_{r_1 \to r_2}} R_{r \to r_2} \quad\quad (3-13-4)$$

由式$(3-13-1)\sim$式$(3-13-4)$,得

$$U_r = \frac{U_1 \ln \frac{r_2}{r}}{\ln \frac{r_2}{r_1}} \quad\quad (3-13-5)$$

$$E_r = \frac{\mathrm{d}U_r}{\mathrm{d}r} = \frac{U_1}{\ln \frac{r_2}{r_1}} \cdot \frac{1}{r} \qu\quad (3-13-6)$$

式$(3-13-5)$和式$(3-13-6)$就是长同轴柱面模拟场所遵守的规律。

带等量异号电荷的长同轴柱面间的静电场,亦有相同的形式,这即是用电流场来模拟静电场的依据。

（六）带等量异号电荷两平行长直导线的电场

带等量异号电荷两平行长直导线的模拟电极见图 $3-13-3$,其横向剖面的电场分布如图 $3-13-4$ 所示。设两导线的电位差为 U_1,距离为 d,导线截面半径为 r_0,且 $d \gg r_0$。在垂直于平行导线的平面上,图 $3-13-5$ 中任一点 P 的电位为

$$U_p = \frac{U_1}{2\ln \frac{d-r_0}{r_0}} \cdot \ln \frac{r_2}{r_1} \quad\quad (3-13-7)$$

式$(3-13-7)$表明:在同一等位线上

$$\ln \frac{r_2}{r_1} = 常数 \quad 或 \left(\frac{r_2}{r_1} = 常数\right) \qu\quad (3-13-8)$$

式$(3-13-8)$是从理论推得的,可把实验结果与之比较,看其符合程度,并分析其原因。

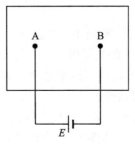

图 3-13-3

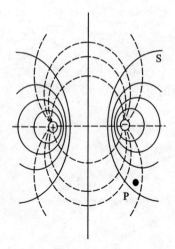

图 3 - 13 - 4

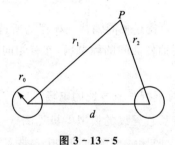

图 3 - 13 - 5

四、 实验内容及步骤

(一) 测绘同轴柱面的等位线,并绘出电力线

图 3 - 13 - 6 为静电场描绘仪。注意,如果接线位置改变,电源装置亦有所变动,3 位数码管显示数字为电压,单位为 V。开关置于"内接"时,显示为电源输出电压,即水槽红黑线之间的电压;开关置于"外接"时,显示为探测点相对于地线的电压,注意区别。

具体步骤如下:

(1) 将长同轴圆柱面的水槽放在架子下层,并接上 15 V 的电压(见图 3 - 13 - 7),上层固定一张 8 开的坐标纸(用坐标纸或厚白纸)。

(2) 数字万用电表正极表棒接探针弓字架上旋钮,负极表棒接触在同轴圆柱面的外圈电极上,探针接线柱不要接错。

(3) 移动探针弓字架,在找到电压相同数字的地方时,用上探针在白纸上按一个点(如图 3 - 13 - 8 所示),记录电压相同数字的点越多,则在白纸上刻划的点也越多,用铅笔将它们连起来,就成为一组同心圆。要求同一等位线上至少要测出 8 个等位点。

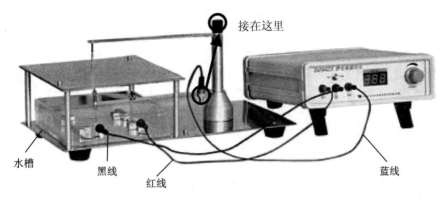

图 3 - 13 - 6

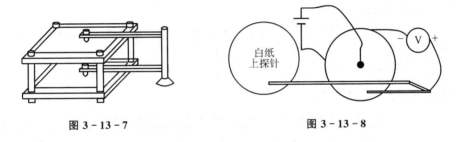

图 3 - 13 - 7   图 3 - 13 - 8

（4）要求在 r_1 与 r_2 之间测出 4 条等位线,每条等位线的间距可取 $\frac{1}{5}U_0$。

（5）根据电力线与等位线正交的原理作出适当数量的电力线,与图 3 - 13 - 1 比较。

（二）测绘两平行导线的电场分布

具体步骤如下:

（1）换上所需的模拟模型（带有两电极的水槽,接法如图 3 - 13 - 9 所示）。

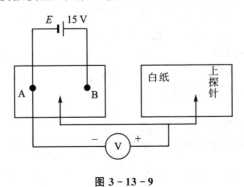

图 3 - 13 - 9

（2）在电极之间测出 5 条等位线，并记录各条等位线的电位差。5 条等位线的分布可按 0.5 V、1 V、3 V、5 V、7 V 选取，或在 A、B 连线上等距离选取，弓字架上探针在 A、B 之间找到电位相同点处，上探针在坐标纸上找一个相应的点。为保证等势线的滑顺，各电位相同的地方要记录 10 次以上。

（3）用铅笔将各电位相等的点连起来就成为等势线的分布，即静电场中的电力线分布（见图 3-13-4）。

（4）根据 $E = \dfrac{\Delta U}{\Delta L}$ 计算出 A、B 连线上每两条等位线间的平均场强，从而说明哪些区域电场强，哪些地方电场弱。

（5）计算某一条等位线上 $\dfrac{r_2}{r_1}$ 的值，以验证 $\dfrac{r_2}{r_1}$ 是否为一常数。

（三）测绘两无限大带电平行平板的电场分布

（1）换上所需的模拟模型。

（2）在带电两平行平板之间测出 4 条等位线，并记录各条等位线的电位差。等位线的选取可参考 1 V、3 V、5 V、6 V 来选取。

（3）无限大带电平行平板的电场分布如图 3-13-10 所示（不考虑边缘效应），图中虚线表示不同的等位线。

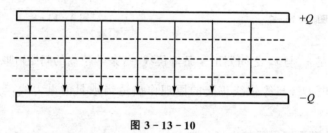

图 3-13-10

五、 预习思考题

1. 什么是模拟法？模拟法适用的条件是什么？
2. 稳恒电流场与静电场有何相似之处？
3. 等位线与电力线之间有何关系？

六、 实验数据与数据处理

在坐标纸上精确描绘出：
（1）同轴圆周面的等位线和电力线图。

（2）两平行导线中的电场分布图（等势线、电力线），且计算某一条等位线上 $\dfrac{r_2}{r_1}$ 的值,以验证 $\dfrac{r_2}{r_1}$ 是否为一常数。

七、 注意事项

1. 若用导电纸,必须是平整,没有破缺或折叠痕迹的,否则导电纸不能视为均匀的不良导体薄层,模拟场和原静电场的分布将不会相同。

2. 由于导电纸的边界条件的限制,边上的等位线和电力线的分布会有失真,失去模拟意义,故靠边的曲线不必给出。

3. 注意两电极之间必须有一定的电阻值,切不可过小或短路,以免损坏仪器。

实验十四　用冲击法测螺旋线管磁场

一、 实验目的

1. 了解用冲击电流计测量磁场的基本原理。
2. 学习使用冲击电流计。
3. 通过对长直螺旋管轴线上磁场的测量,加深对圆形电流磁场理论的理解。

二、 实验仪器

螺旋管、探测线圈、互感器、冲击电流计、直流毫安表、直流稳压电源、单刀单掷开关、单刀双掷开关等。

三、 实验原理

(一) 长直螺旋管的磁场

长直螺旋管的剖面图如图 3-14-1 所示。设螺线管长度为 l,半径为 r_0($l \gg r_0$),上面均匀地密绕有 N 匝线圈,放在磁导率为 μ 的磁介质中,当线圈通过电流 I 时,磁场分布主要集中在螺线管内部空间,而且在轴线附近磁力线分布近似均匀且平行,在外部空间磁场则很弱。

由毕奥-萨伐尔定律可以得到螺线管轴线上距中心 O 点 x 处的磁感应强度为

$$B_x = \frac{\mu N I}{2l}(\cos \beta_1 - \cos \beta_2) \qquad (3-14-1)$$

或者

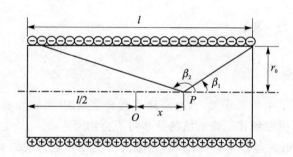

图 3-14-1

$$B_x = \frac{\mu NI}{2l}\left\{\frac{\frac{l}{2}-x}{\left[\left(\frac{l}{2}-x\right)^2+r_0^2\right]^{\frac{1}{2}}}+\frac{\frac{l}{2}+x}{\left[\left(\frac{l}{2}+x\right)^2+r_0^2\right]^{\frac{1}{2}}}\right\} \qquad (3-14-2)$$

令 $x=0$，得螺线管中心 O 点的磁感应强度为

$$B_0 = \frac{\mu NI}{(l^2+4r_0^2)^{1/2}} \qquad (3-14-3)$$

令 $x=l/2$，得螺线管两端面中心点的磁感应强度为

$$B_{l/2} = \frac{\mu NI}{2\,(l^2+r_0^2)^{1/2}} \approx \frac{\mu NI}{2\,(l^2+4r_0^2)^{1/2}} = \frac{B_0}{2} \qquad (3-14-4)$$

当 $l \gg r_0$ 时，由公式（3-14-3）式（3-14-4）可知

$$B_{L/2} \approx \frac{B_0}{2} \qquad (3-14-5)$$

图 3-14-2 是长直螺线管轴线上磁感应强度的分布曲线。

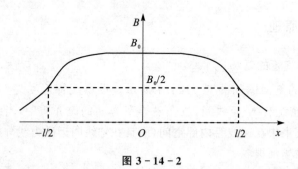

图 3-14-2

（二）用冲击电流计测定磁感应强度

图 3-14-3 是用冲击电流计测螺线管磁场的电路图。图中，E 为直流可调稳压电源，A 为直流电流表，S_1、S_3 为单刀单掷开关，S_2 为单刀双掷开关，M 为互感器，T 为置于螺线管 S 内轴线上的探测线圈，G 为冲击电流计，R 为电阻箱的电阻。

将 S_2 合向 a 端，S_1 闭合，则电源与螺线管接通，构成磁化电流回路。由于冲击电流计 G、电阻箱、互感器 M 的次级线圈和探测线圈 T 组成次级回路,当电流流经螺线管、螺线管内磁场发生变化时,探测线圈中将产生感应电动势 $E(t)$,从而在测量回路(实际是一个 RL 电路)中产生一个随时间迅速变化的脉冲电流 $i(t)$,如图 3-14-4 所示,该感应电流满足如下方程:

$$L \frac{\mathrm{d}i(t)}{\mathrm{d}t} + i(t)R = E(t) \tag{3-14-6}$$

或

$$i(t) = -\frac{L}{R} \frac{\mathrm{d}i(t)}{\mathrm{d}t} + \frac{E(t)}{R} \tag{3-14-7}$$

式中,L 为电流计回路的自感,R 为电流计回路的总电阻(它等于电流计内阻、探测线圈电阻、互感线圈次级电阻及外电阻之和)。

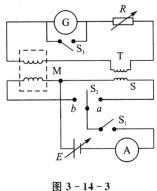

图 3-14-3

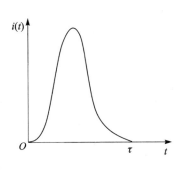

图 3-14-4

设探测线圈的匝数和截面积分别为 n 和 S,磁感应强度的瞬时值为 $B(t)$,则有

$$E(t) = -nS \frac{\mathrm{d}i(t)}{\mathrm{d}t} \tag{3-14-8}$$

将式(3-14-8)代入式(3-14-7),有

$$i(t) = -\frac{L}{R} \frac{\mathrm{d}i(t)}{\mathrm{d}t} - \frac{nS}{R} \frac{\mathrm{d}B(t)}{\mathrm{d}t} \tag{3-14-9}$$

对式(3-14-9)积分,可以求出在脉冲电流持续时间 τ 内,电流计线圈中所迁移的电量为

$$Q = \int_0^\tau i(t)\mathrm{d}t = -\frac{L}{R}[i(\tau) - i(0)] - \frac{nS}{R}[B(\tau) - B(0)] \tag{3-14-10}$$

因实验时 S_2 合向 a 端,S_1 闭合,故有

$$i(\tau) = i(0) = 0$$

$$B(0) = 0$$

$$B(\tau) = B(\infty) = B$$

所以

$$Q = -\frac{nS}{R}B \qquad (3-14-11)$$

式(3-14-11)表明,Q 只与电流计回路的总电阻 R 有关,与其自感 L 无关。L 的大小只影响脉冲时间 τ 的长短,它不影响迁移过电流计的电量 Q 的多少。迁移过电流计的电量 Q 与电流计的偏转 d_m 有以下关系

$$Q = k_b d_m$$

所以,磁感应强度的数值为

$$B = \frac{Rk_b}{nS}d_m \qquad (3-14-12)$$

式中,R 的单位为 Ω;k_b 为电流计的冲击常数,单位为 C/mm;d_m 是电流计光标第一次偏转的最大距离,单位为 mm;S 的单位为 m^2;B 的单位为 T。

若电流计的冲击常数 k_b 已知,并读得闭合或打开时电流计光标的第一次最大偏转距离 d_m,则可由式求出磁场 B 的测量值。

(三)测定电流计冲击常数 k_b

将 S_2 合向 b 端,电源与互感器构成校正回路。若将原先闭合的 S_1 打开,则互感器初级线圈回路电流瞬间由 I_0 变到 0。在此过程中,互感器次级线圈中产生一个互感电动势 $E_M = -M\dfrac{\mathrm{d}i'(t)}{\mathrm{d}t}$($M$ 为互感系数),同时在电流计回路(即测量回路)中形成脉冲感应电流 $E_M i(t) = \dfrac{E_M}{R}$。由同理可推导迁移过电流计的电量为

$$Q = \int_0^\tau i(t)\mathrm{d}t = -\frac{M}{R}\int_0^{I_0}\mathrm{d}i'(t) = -\frac{MI_0}{R} \qquad (3-14-13)$$

若 S_1 打开,电流计光标第一次偏转的最大距离为 d'_m,将 $Q = k_b d'_m$ 代入式(3-14-13),则可得

$$k_b = \frac{MI_0}{Rd'_m} \qquad (3-14-14)$$

由上式可知,冲击常数与电流计回路的总电阻 R 有关,R 值不同,k 也不同,因此,测螺线管磁感应强度 B 时,电流计回路的总电阻 R 应保持不变。

四、 预习思考题

1. 冲击电流计与灵敏电流计有哪些异同之处?

2. 如何调节冲击电流计?电流计调到什么状态才能进行测量?

3. 实验中,在使用冲击电流计测量磁场时,为什么要始终将探测线圈和互感器

的次级线圈串联在一起?

4.试分析实验结果中磁感应强度的主要误差来源有哪些?

五、 实验内容及实验数据

按图 3-14-3 接好线路(S_3 应处于闭合状态)。

接通电流计照明灯电源,使光照射到墙壁上电流计的反射镜。当从反射镜里看到一个小圆亮点(白色)时,调整光照系统,从标度尺下的反射镜里找到光标,并使光标中间的准线清晰。(该准线是用来读数的。)

测 k_b(因冲击电流计内阻未知,故 R 未知,在此测量 Rk_b):

(1) 将 S_2 合向 b 端,将 S_3 断开,闭合 S_1,调节电源 E 的输出,使电流计的光标第一次最大偏转距离在 $10\sim20$ cm 范围内。待电流计的光标停止后,记下电流 I_0 及光标位置(称为平衡位置)。(注:平衡位置偏离零点 2 cm 范围以内不影响实验结果。)

(2) 将 S_1 迅速闭合,读出电流计光标在另一侧的最大偏转距离 d_{m1}(cm),待光标回到平衡位置并且停止后,再断开 S_1,读出光标在另一侧的最大偏转距离 d_{m2} (cm)。改变电源回路的电流值 I_0,待电流计光标停止在平衡位置后,再断开(或闭合)S_1,读出相应的最大偏转距离值 d_{m1}(或 d_{m2})和电流值 I_0,并记录到表 3-14-1 中。(改变开关 S_1 状态之前,光标必须停止在平衡位置。)

表 3-14-1

I_0/mA	d_{m1}/cm	d_{m2}/cm	$\overline{d_m}$/cm	$Rk_b=\dfrac{MI_0}{d_m}$	$\overline{Rk_b}$

测磁感应强度 B:

(1) 将 S_2 合向 a 端。

(2) 设探测线圈在螺线管的位置为 x,使探测线圈的 0 刻线和螺线管边缘对齐(此时 $x=0$)。调节电源 E 的输出,待光标停止在平衡位置后,闭合或断开开关 S_1,读出相应的光标最大左、右偏转距离 d_1 或 d_2。此处($x=0$)所选的电流必须使得光标相对于平衡位置的距离大于 15.0 cm。

(3) 保持电流和电路电阻不变,测出表 3-14-2 中各点的 d_1 和 d_2。

$N=$ _____ 匝 $l=$ _____ m $r_0=$ _____ cm

$n=$ _____ 匝 $S=$ _____ m $I=$ _____ mA

表 3 - 14 - 2

X/cm	0	2	4	6	8	10	11	12	13	14	15	16	17	18
d_1/cm														
d_2/cm														
D_m/cm														

理论值为

$$B_0 = \frac{\mu N I}{(l^2 + 4r_0^2)^{1/2}} = \underline{\qquad} \ \text{T}$$

式中，$\mu = 4\pi \times 10^{-7} \ \text{N/A}^2$。

实验值为

$$B = \frac{R k_b}{nS} d_m = \underline{\qquad} \ \text{T}$$

式中，$d_m = (d_1 + d_2)/2$。

相对误差为

$$E = \left| \frac{B_0 - B}{B_0} \right| \times 100\% = \underline{\qquad} \ \%$$

注意，这里只测量中心点 $x = 0$ 处的磁场。

参照图 3 - 14 - 5，绘制 d_m - x 曲线。

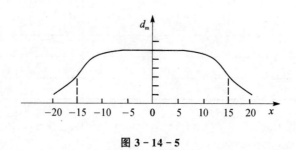

图 3 - 14 - 5

六、 注意事项

1. 应该严格按照有关规定调节冲击电流计。

2. 应使实验中的标准互感器和螺线管的距离尽可能远一点。

实验十五 密立根油滴法测电子电荷

一、 实验目的

1. 测量电子电荷,验证电荷的量子性。
2. 通过密立根油滴实验的巧妙设计,理解密立根实验的原理。
3. 培养严谨认真和一丝不苟的科学实验方法和态度。

二、 实验仪器

油滴仪、喷雾器、频率计、电源。

三、 实验原理

杰出的美国物理学家密立根在 1909—1917 年所做的测量微小油滴上带的电荷的工作,即所谓油滴实验,在全世界是享负盛名的,堪称物理实验的典范。密立根在这一实验工作中花费近 10 年的心血,取得了有重大意义的结果,那就是:

(1) 证明电荷的不连续性(具有颗粒性),所有电荷都是基本电荷 e 的整数倍。

(2) 测量并得到了基本电荷即为电子电荷,其值为 $e=1.60\times10^{-19}$ C。现公认 e 是基本电荷,对其值的测量精度不断提高,目前给出的最好结果为 $e=(1.602\ 177\ 31 \pm 0.000\ 000\ 49)\times10^{-19}$ C。正是由于这一实验成就,他荣获了 1932 年诺贝尔物理学奖。八十多年过去了,物理学发生了根本的变化,而这个实验又重新站到了实验物理的前列。近年来,根据这一实验的设计思想改进的用磁漂浮的方法测量分数电荷的实验,使古老的实验又焕发青春,也就更说明,密立根油滴实验是富有巨大生命力的实验。

测定电子的电量可以采用静态(平衡)测量法,也可采用动态(非平衡)测量法,本实验采用静态测量法。用喷雾器将油喷入两块相距为 d 的水平放置的平行极板之间,油在喷射撕裂成油滴时,一般都带上电荷,假如油滴的质量为 m,所带的电量为 q,两极板间的电压为 U。油滴在极板间同时受到重力和电场力两个力的作用。E 为两极板间的电场强度,如果调节两极板间的电压 U 可使重力和电场力平衡,则有关系式:

$$mg=qE=q\frac{U}{d}$$

改变加在两极板上的电压时,油滴在极板间上下游动,当重力和电场力平衡时,电荷静止在某一位置,如图 3-15-1 所示。

此时油滴会静止地悬浮在电场中,并保持平衡。可见只要测出油滴质量 m、电

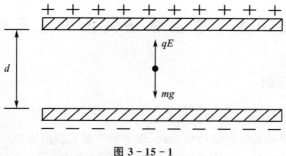

图 3 - 15 - 1

压 U 和两极板间距 d，就可求出油滴所带的电量 q。因为 m 很小（数量级在 10^{-15} kg 左右），因此需用特殊方法测定。平行板不加电压时，油滴在空气中自由下落，下落过程中受三个力的作用：重力 mg；空气浮力 f_1；空气对它的阻力 f_2。

　　由于表面张力的作用，油滴一般呈小球状。设油滴的密度为 ρ，半径为 a，则油滴的质量 m 为

$$m = \frac{4}{3}\pi a^3 \rho$$

重力及空气浮力可表示为

$$mg = \frac{4}{3}\pi a^3 \rho g$$

$$f_1 = \frac{4}{3}\pi a^3 \rho' g$$

式中，ρ' 为空气密度。

　　根据斯托克斯定律，空气阻力可表示为

$$f_2 = 6\pi a \eta v$$

式中，η 为空气粘滞系数，v 为油滴下落速度。可见粘滞阻力与速度成正比。当油滴下落速度达到某一数值，油滴所受合外力等于零时，油滴匀速下降。此时有

$$\frac{4}{3}\pi a^3 \rho g = \frac{4}{3}\pi a^3 g \rho' + 6\pi a \eta v$$

$$a = \sqrt{\frac{9}{2}\frac{\eta v}{g(\rho - \rho')}} \qquad (3 - 15 - 1)$$

　　一般情况下，$\rho \gg \rho'$，空气浮力可以忽略。

　　实验中油滴半径约为 10^{-6} m，此半径与空气分子间的间隙大致相等，因此空气的粘滞系数修改为

$$\eta' = \frac{\eta}{1 + \dfrac{b}{pa}} \qquad (3 - 15 - 2)$$

式中，b 为修正常数，$b = 6.17 \times 10^{-6}$ m·cmHg；p 为大气压强，单位为 cmHg。最终可得油滴的带电量为

$$q = \frac{18\pi}{\sqrt{2\rho g}} \cdot \frac{d}{U} \left[\frac{\eta L}{t\left(1 + \frac{b}{p} \cdot \sqrt{\frac{2\rho g t}{9\eta L}}\right)} \right]^{\frac{3}{2}} \qquad (3-15-3)$$

公式(3-15-3)是本实验的基本公式。本实验将验证电荷的不连续性,测量电子电量,测量工具如图 3-15-2 所示。

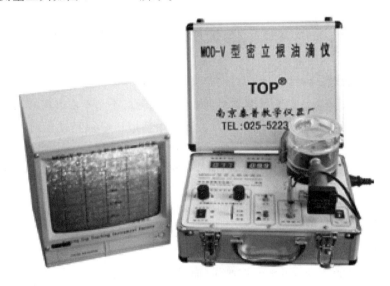

图 3-15-2

四、 实验内容及步骤

(一) 调整仪器

将仪器放平稳,调节仪器底部左右两只调平螺丝,使水准泡指示水平,这时平行极板处于水平位置。先预热 10 min,利用预热时间,调节监视器,使分划板刻线清晰。

将油从油雾室旁的喷雾口喷入(喷一次即可),微调测量显微镜的调焦手轮。这时视场中出现大量清晰的油滴,如夜空繁星。如果视场太暗,油滴不够明亮,则可略微调节监视器面板上的微调旋钮。

(二) 练习测量

练习控制油滴。用平衡法实验时,在平行极板上加工作(平衡)电压 250 V 左右,驱走不需要的油滴,直到剩下几颗缓慢运动为止。注视其中的某一颗,仔细调节平衡电压,使这颗油滴静止不动。然后去掉平衡电压,让它匀速下降,下降一段距离后再加上平衡电压和升降电压,使油滴上升。如此反复多次地进行练习,以掌握控制油滴的方法。

练习测量油滴运动的时间。任意选择几颗运动速度快慢不同的油滴,测出它们下降一段距离所需要的时间;或者加上一定的电压,测出它们上升一段距离所需要的时间。如此反复多练几次,以掌握测量油滴运动时间的方法。

练习选择油滴。要做好本实验,很重要的一点是选择合适的油滴。选的油滴体积不能太大,太大的油滴虽然比较亮,但一般带的电荷比较多,下降速度也比较快,时间不容易测准确。油滴也不能选得太小,太小则布朗运动明显。通常选择平衡电压在 200 V 以上,在 20~30 s 时间内匀速下降 2 mm 的油滴,其大小和带电量都比较合适。

(三) 正式测量

可见,用平衡测量法实验时要测量的有两个量。一个是平衡电压 U,另一个是油滴匀速下降一段距离 L 所需要的时间 t。测量平衡电压必须经过仔细的调节,并将油滴置于分划板上某条横线附近,以便准确判断出这颗油滴是否平衡了。

测量油滴匀速下降一段距离 L 所需要的时间 t 时,为了在按动计时器时有思想准备,应让它下降一段距离后再测量时间。选定测量的一段距离 L,应该在平行极板之间的中央部分,即视场中分划板的中央部分。若太靠近上电极板,小孔附近有气流,电场也不均匀,会影响测量结果。太靠近下电极板,测量完时间 t 后,油滴容易丢失,影响测量。一般取 $L=0.200$ cm 比较合适。

对同一颗油滴应进行 6~10 次测量,而且每次测量都要重新调整平衡电压。

用同样的方法分别为 4~5 颗油滴进行测量,求得电子电荷 e。

五、 预习思考题

1. 实验中采取何种方法来进行测量的?
2. 在实验中,什么样的油滴是适合进行测量的? 该如何选择油滴?

六、 实验数据与数据处理

实验数据记入表 3-15-1 中。

表 3-15-1

油滴序号	1	2	3	4	5
油滴平衡电压 U/V					
油滴下落时间 t/s					
油滴带电量 q/10^{-19}C					
基本电荷个数 n					
电子电荷量 e/10^{-19}C					

数据处理：

$$q = \frac{18\pi}{\sqrt{2\rho g}} \cdot \frac{d}{U} \left[\frac{\eta L}{t \left(1 + \frac{b}{p} \cdot \sqrt{\frac{2\rho g t}{9\eta L}} \right)} \right]^{\frac{3}{2}}$$

式中

$$a = \sqrt{\frac{9}{2} \frac{\eta L}{\rho g t}}$$

油的密度	$\rho = 981 \text{ kg/m}^3$
重力加速度	$g = 9.80 \text{ m/s}^2$
空气的粘滞系数	$\eta = 1.83 \times 10^{-5} \text{ kg/(m/s)}$
油滴匀速下降的距离取	$L = 2.00 \times 10^{-3} \text{ m}$
修正常数	$b = 6.17 \times 10^{-6} \text{ m} \cdot \text{cmHg}$
大气压强	$p = 76.0 \text{ cmHg}$
平行极板距离	$d = 5.00 \times 10^{-3} \text{ m}$

将以上数据代入公式得

$$q = \frac{1.43 \times 10^{-14}}{\left[t(1 + 0.02\sqrt{t}) \right]^{3/2}} \cdot \frac{1}{U} \tag{3-15-4}$$

显然，由于油的密度 ρ、空气的粘滞系数 η 都是温度的函数，重力加速度 g 和大气压强 p 是随实验地点和条件的变化而变化的，因此，公式（3-15-4）的计算是近似的。在一般条件下，这样的计算引起的误差约 1%，但它带来的好处是使运算方便得多，对于学生的实验，这是可取的。

为了证明电荷的不连续性和所有电荷都是基本电荷 e 的整数倍，并得到基本电荷 e 值，我们应对实验测得的各个电量 q 求最大公约数。这个最大公约数就是基本电荷 e 值，也就是电子的电荷值。但由于学生实验技术不熟练，测量误差可能要大些，要求出 q 的最大公约数有时比较困难，通常我们用"倒过来验证"的办法进行数据处理。即用公认的电子电荷值 $e = 1.60 \times 10^{-19}$ C 去除实验测得的电量 q。得到一个接近于某一个整数的数值，这个整数就是油滴所带的基本电荷的数目 n。再用这个 n 去除实验测得的电量，即得电子的电荷值 e。用这种方法处理数据，只能作为一种实验验证，仅在油滴带电量比较少（少数几个电子）时可以采用。当 n 值较大时，这时的平衡电压 V 很低（100 V 以下），匀速下降 2 mm 的时间很短（10 s 以下），带来误差的 0.5 个电子的电荷在分配给 n 个电子时，误差必然很小，其结果 e 值总是十分接近于 1.60×10^{-19} C。这也是实验中不宜选用带电量比较多的油滴的原因。

图 3-15-3 所示为油雾盒结构图。

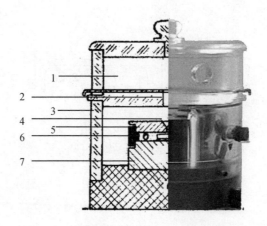

1—油雾室;2—油雾孔;3—防风罩;4—上极板中央小孔;
5—上极板;6—胶木圆环;7—下极板

图 3－15－3

七、 注意事项

1. 在调整仪器时,如果要打开有机玻璃油雾室,必须先将平衡电压反向开关拨到"平衡"位置。

2. 用喷嘴向容器里喷油雾时,只需喷 2～3 下,不能喷太多,否则油雾容易凝结,会把进口堵住。

3. 选择油滴进行测量时,不要选择太亮的油滴。

实验十六 薄透镜焦距的测定

一、 实验目的

1. 理解薄透镜成像的基本规律。
2. 掌握简单光路的分析和调整方法。
3. 掌握测定会聚透镜焦距和发散透镜焦距的方法。

二、 实验仪器

溴钨灯、物屏、凸透镜、凹透镜、平面反射镜、二维架、三维架、二维平移底座、三维平移底座。

三、　实验原理

当透镜的厚度比其焦距小很多的时候,这种透镜叫做薄透镜。在近轴光线的条件下,薄透镜的成像规律可以表示为

$$\frac{1}{u}+\frac{1}{v}=\frac{1}{f}$$

其中,u 为物距,v 像距,f 为透镜焦距(注意 u、v、f 的正负)。

(一) 凸透镜焦距的测定

用自准法测定凸透镜的焦距。如图 3 - 16 - 1 所示,P 为物屏,S 为光源,L 为凸透镜,M 为平面反射镜,根据焦点和焦面的特征,若 P 恰好处在 L 的主焦面上,则旁轴物点 Q 所发出的近轴光线经透镜 L 后,必出射平行光,再经平面镜 M 反射回来的也是平行光;反射回来的平行光经透镜射出,在物屏 P 上的 Q 点附近会聚于一点 Q′,Q′叫做 Q 的自准像。这时 P 到 L 的距离就等于凸透镜 L 的焦距 f。

自准像 Q′有如下特征:大小和 Q 相同;左右移动平面反射镜,改变 M 到透镜 L 的距离时,Q′不会移动;绕通过 M 的铅直轴线转动 M 时,Q′将在 P 上左右移动。

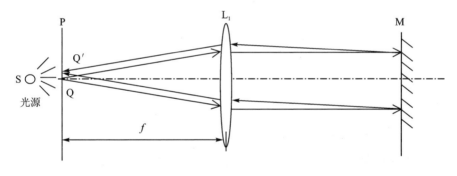

图 3 - 16 - 1

(二) 凹透镜焦距的测定

凹透镜是发散透镜,用透镜成像公式测量凹透镜的焦距时,凹透镜的成像为虚像,而且,虚像的位置在物和凹透镜之间,因而无法直接测量其焦距,所以我们用以下方法来测凹透镜的焦距,即辅助透镜成像法测焦距。如图 3 - 16 - 2 所示,先用一个凸透镜 L_1 将物 Q 成一实像于 Q′,再把待测的凹透镜 L_2 摆到 L_1 和 Q′之间。就 L_2 而言,Q′是虚物,它经凹透镜 L_2 又成像于 Q″。测出 s 和 s',利用成像公式,就可以求出凹透镜的焦距 f'。

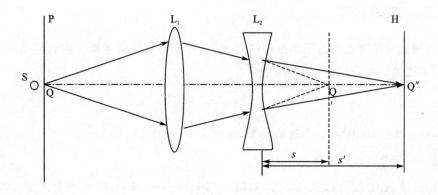

图 3 - 16 - 2

四、 预习思考题

1. 为什么要对光学系统进行同轴等高调节？如何调节？
2. 若不满足同轴等高，对测量会有何影响？
3. 用什么方法测量凹透镜的焦距？
4. 为什么在测量凹透镜的焦距时，需要使辅助凸透镜成缩小的实像？若成放大的像行不行？

五、 实验步骤和要求

（一）调节光学元件使之共轴

粗调：把安放在光学实验平台上的透镜、物孔、光屏、光源等沿光学实验平台的标尺靠拢在一起，用眼睛仔细观察，调节其高低、左右，使它们的中心大致在和标尺平行的直线上，并且与平台垂直。

细调：靠其他仪器或成像规律来调整。在做实验时，为使物的中心、像的中心、透镜的光心达到"同轴等高"的要求，调节物屏的位置（物屏与光屏距离大于四倍的焦距），让它先成一个清晰的大像，再移动透镜，使它成一个清晰的小像，以大像去对小像，使大小像的中心重合。

（二）自准法测凸透镜的焦距

（1）如图 3 - 16 - 1 所示放置好仪器，使之同轴等高。

（2）移动透镜 L_1，使物屏 P 接收到物屏自己的像，左右移动会发现，所成的像将由模糊—清晰—模糊三阶段变化；左右移动平面镜，观察成像是否发生变化，即可判断是否是自准像（注意判断方法）。

（3）移动透镜 L_1，使自准像更加清晰。我们在实验中可以看到自准像与物孔恰好能构成一个圆。

（4）测量焦距，数据填入表 3-16-1 中，共测 5 次，计算平均值。

（5）计算测量误差，分析误差来源，得出完整的结果表达式。

（6）不确定度分析：不确定度 B 类分量读数误差远小于不确定度 A 类分量，故 B 类分量可忽略不计。取 $u_C(f)=u_A(f)=\overline{\Delta f}$，则 $f=\overline{f}\pm\overline{\Delta f}=$ _____。

与实验室给出的参考值进行比较，计算相对不确定度。

（三）用辅助透镜成像法测凹透镜的焦距

（1）按图 3-16-2 所示，先不放凹透镜，使物屏 P 到接收屏 H 的距离略大于 $4f$，将凸透镜 L_1 移至能在屏 H 上成缩小实像的位置，此时即可固定 L_1 的位置。然后再细微移动屏 H，使屏 H 上的缩小实像 Q' 最清晰。记下这时 Q' 的位置坐标的读数，填入表 3-16-2 中。

（2）再将接收屏 H 向外移 10 厘米左右（记住，在上一步调节时应预先留好位置），把待测凹透镜 L_2 放置于 L_1 和屏 H 之间移动，可在屏 H 上又成实像 Q''，再细微移动 L_2，使这时像 Q'' 最清晰。记下这时候凹透镜 L_2、屏 H 上的 Q'' 的位置，填入表 3-16-2 中。且 $Q'L_2$ 的距离为虚物距 s，L_2、Q'' 间的距离为像物距 s'。

（3）由这些位置读数，可以得到对于凹透镜成像时的物距 s 和像距 s'，根据成像公式：

$$f'=\frac{s\cdot s'}{s-s'}$$

可以求得该凹透镜的焦距 f'。

（4）计算测量误差，分析误差来源，得出完整的结果表达式。

注：在此成像情况下，s 和 s' 都是正的。

六、 实验数据与数据处理

1. 自准法测焦距

数据记入表 3-16-1 中。

表 3-16-1

测量序号 i	1	2	3	4	5	平均值
物屏 P 坐标						
透镜 L_1 坐标						
焦距 f						$\overline{f}=$
$\Delta f=\lvert\overline{f}-f_i\rvert$						$\overline{\Delta f}=$

2. 辅助透镜成像法测焦距

数据记入表 3-16-2 中。

表 3-16-2

测量序号 i	Q'	L_2	Q''	s	s'	f'	$\Delta f'$
1							
2							
3							
4							
5							
平 均 值						$\overline{f'}=$	$\overline{\Delta f'}=$

七、 注意事项

1. 测量透镜焦距,验证透镜成像规律时,一般不直接使用发光物体作为物,而是选取有一定形状的开孔屏作为物。

2. 实验中,要使凸透镜成倒立、缩小、清晰的实像,应使物和像之间的距离 $D \geqslant 4f$,f 为此凸透镜的焦距。

3. 各种光学元件的擦拭必须用专门的拭镜纸,不可用手帕、手纸等。

实验十七   等厚干涉——牛顿环

一、 实验目的

1. 观察等厚干涉现象,熟悉光的等厚干涉的特点。
2. 用牛顿环测量凸透镜的曲率半径。

二、 实验仪器

读数显微镜(带有 45°玻璃片)、钠灯光源、牛顿环套件。

三、 实验原理

干涉法是将一列横波分成两个或两个以上的波列,并使它们在同一区域中叠加而形成稳定的干涉图样。分析和测量干涉的图样不仅可以研究横波的特性,而且是精密测量中的一种重要方法。干涉法的应用不仅限于光波,而且可以用机械波或其他电磁波。

　　形成干涉图样的两束相干光之间的光程差只要有微小的变化,干涉图样就相应发生明显的变化。干涉法相当于用光波的波长当作"尺"进行测量,因而测量的准确度很高。通常利用干涉法来测量长度、角度、波长、气体或液体的折射率以及检测光学元件和工件质量等。干涉计算技术在生产实践和科学研究中发挥着越来越重要的作用。

　　本实验利用光在薄膜上形成的等厚干涉条纹来测量平凸透镜的曲率半径。形成等厚干涉的条件是薄膜厚度(或折射率)不均匀,而且膜的厚度很薄。而牛顿环是将一透镜 A 的凸面向下置于平面玻璃 B 上(图 3 - 17 - 1 所示为牛顿环实验装置),其中心有良好接触,于是在透镜下表面与平面玻璃上表面之间形成了一个由中心向边缘逐渐增厚的空气薄层(即空气薄膜),该空气薄膜的等厚线是一些同心圆。单光垂直入射到空气薄膜上,并迎着反射光向薄膜看去时,就可以看到薄膜上不等间距的同心圆环条纹。若入射光是单色光,则圆环是明暗相间的;若入射光是白光,则条纹是彩色的,中心部分犹如彩虹。这种干涉现象最早是牛顿于 1675 年在制作天文望远镜时,偶然将一个望远镜的物镜放在平玻璃上而发现的,所以称之为牛顿环。

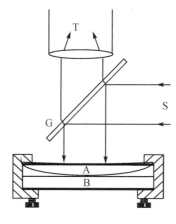

图 3 - 17 - 1

　　图 3 - 17 - 2 所示为等厚干涉原理,当波长为 λ 的单色光垂直入射到空气薄膜的上表面时,一部分反射(图中光束 1),另一部分透射,投射光继续前进达到下表面并在下表面再次发生反射和折射(图中光束 2)。光束 1、光束 2 是从同一束光分出来的,因而它们具有相干性。

　　光束 2 在薄膜内多走了一个来回,所以当光束 1、光束 2 相遇时,它们之间就有了一个光程差 δ。若恰等于半波长 λ/2 的奇数倍,则相遇时振动方向相反,振动合成时振幅相抵消,即两波叠加产生相消干涉,在两波相遇处形成暗纹;若恰等于 λ/2 的偶数倍,则产生相长干涉,形成亮纹。如果两波的光程差既不等于 λ/2 的奇数倍,又不等于 λ/2 的偶数倍,则叠加后的光强介于最亮和最暗之间,光强随光程差 δ 而不

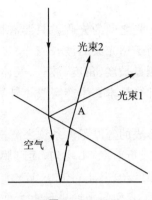

图 3 - 17 - 2

同,可见,明、暗条纹之间没有分界线,光强是逐渐变化的。

干涉场中某点的光强决定于光程差,而光程差与薄膜的厚度有关,所以干涉条纹是描绘不同厚度薄膜的等厚线,同一条(级)干涉条纹对应于薄膜厚度相同处的轨迹,故称为等厚干涉条纹。

如图 3 - 17 - 2 所示,A 处为第 k 级暗纹,A 处薄膜厚度为 h_k,1、2 两束光的光程差为

$$\delta = 2nh_k + \lambda/2$$

式中 $\lambda/2$ 一项是由于光从光疏媒质入射到光密媒质,在交界面上反射时产生"相位突变"而引起的附加程差,n 是薄膜介质的折射率,对于空气 $n=1$,故有

$$\delta = 2h_k + \lambda/2 \qquad (3 - 17 - 1)$$

如前所述,产生暗纹的条件是光程差等于半波长的奇数倍,即

$$\delta = (2k+1)\frac{\lambda}{2} \quad (k=0,1,2,3,\cdots) \qquad (3 - 17 - 2)$$

将式(3 - 17 - 1)代入式(3 - 17 - 2),得到

$$h_k = k\frac{\lambda}{2} \quad (k=0,1,2,3,\cdots) \qquad (3 - 17 - 3)$$

由此可见:

(1) 暗纹出现在薄膜厚度等于半波长的整数倍的那些地方。

(2) 相邻两暗纹所对应的空气薄膜的厚度相差 $\lambda/2$,即

$$h_{k+1} - h_k = \frac{\lambda}{2} \qquad (3 - 17 - 4)$$

如图 3 - 17 - 3 所示,若第 k 级干涉圆环的半径为 r_k,对应空气薄膜的厚度为 h_k,由图 3 - 17 - 3 的几何关系可知:

$$r_k^2 = R^2 - (R - h_k)^2 = 2Rh_k - h_k^2$$

式中 R 是透镜凸面的曲率半径,且 $R \gg r_k$,故忽略上式中的 h_k^2,可得到

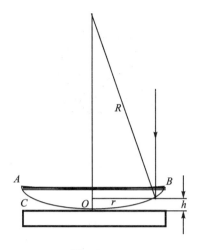

图 3 - 17 - 3

$$h_k = \frac{r_k^2}{2R} \qquad (3-17-5)$$

将式(3 - 17 - 3)代入式(3 - 17 - 5),得到

$$r_k^2 = kR\lambda \qquad (3-17-6)$$

由式(3 - 17 - 6)可见,如果一直入射光的波长,测得某一暗环的半径 r_k 并数出它的序号 k,式(3 - 17 - 1)和根据式(3 - 17 - 2),薄膜厚度为零的中心为 $k=0$,就可以算出透镜的曲率半径 R 了。然而仔细观察后发现:中央暗纹不是一个点,而是一个不甚清晰的暗斑,甚至有可能是一个亮斑。其原因是从中心接触点沿半径向外,h 连续增大,光程差 δ 相应连续增大,从暗到明光强逐渐增加,所以不可能是一个清晰的暗点;又因镜面上可能有尘埃存在,造成中心可能不是光学接触,所以中心不一定是 $k=0$ 的暗纹中心,甚至根本不对应于 $k=0$。这就给实际测量带来了困难:① 干涉环的圆心位置不能确定,测 r_k 无起点;② 不知道中心处的 k 是多少,无法确定所测圆心的 k。在此,我们运用转换测量法,以避开对 k 和半径 r_k 的绝对测量。

如图 3 - 17 - 4 所示,设第 m 环半径为 r_m,第 n 环半径为 r_n,分别代入式(3 - 17 - 6),并将两式相减,于是得到

$$R = \frac{r_m^2 - r_n^2}{\lambda(m-n)} \qquad (3-17-7)$$

为了便于测量和数据处理,将式(3 - 17 - 7)写成

$$R = \frac{D_m^2 - D_n^2}{4\lambda(m-n)} \qquad (3-17-8)$$

式(3 - 17 - 8)中分子是任意两环直径的平方差,分母中的 $(m-n)$ 是它们相隔的环数。此刻所关心的不再是第 m 环和第 n 环的实际 k 值,而是它们的 k 值差 $(m-n)$,且这个差值 $(m-n)$ 很容易数出来。

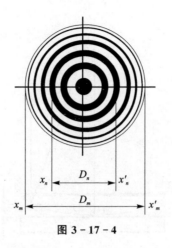

图 3 − 17 − 4

四、 实验内容及实验步骤

1. 将牛顿环套件放置于读数显微镜载物台上,点亮钠光灯,翻转读数显微镜下的反射镜,使之不能反射来自钠灯的光。转动显微镜,使钠光倍物镜下方的 45°反射镜反射后,向下沿着显微镜轴线方向垂直投射到牛顿环装置上,经空气薄膜反射后,再向上到达显微镜中,形成最亮的视场。

2. 调节显微镜的目镜,使目镜中看到的叉丝最为清晰。然后调整竖直叉丝与读数显微镜横向走动方向垂直。

3. 调节显微镜镜筒,对牛顿环所在平面进行调焦,观察到清晰的干涉图样,再仔细调焦以消除干涉条纹与分化板叉丝之间的视差。

4. 移动牛顿环的位置,使显微镜叉丝的交点对准干涉圆环的中心,然后左右移动显微镜镜筒,观察整个干涉场中条纹的清晰度,以便选择干涉条纹的测量范围。

5. 用显微镜的竖直叉丝依次与左边第 25 环、第 24 环……第 11 环相切,然后越过环心,再依次与右边第 11 环、第 12 环……第 25 环相切。记录它们的位置的读数,填入表 3 − 17 − 1 中。

为避免螺距差,测量中叉丝只能朝一个方向移动,直至与待测环相切。操作方法是:在测量左边第 25 条暗环时,记得十字叉丝准线从中央暗斑(第 0 环)向左移动并记下经过的暗环环数,数到第 25 环时,不可马上记录数据作为第 25 环暗纹的位置,应超过 25 环到 29 或 30 环,然后再反转鼓轮移动叉丝退回到第 25 环位置,这时在表格 3 − 17 − 1 中记录读数的位置。

五、 预习思考题

1. 等厚干涉是什么? 等厚干涉的条纹特点是什么?

2. 为什么实验中不直接用公式 $R = \dfrac{r_k^{\,2}}{k\lambda}$ 来测量平凸镜曲率半径,而改用 $R = \dfrac{D_m^2 - D_n^2}{4\lambda(m-n)}$ 进行测量?

3. 公式 $R = \dfrac{D_m^2 - D_n^2}{4\lambda(m-n)}$ 是用暗环的直径公式推导出来的,如果牛顿环中心是亮斑,此公式是否还适用?

4. 如何调整读数显微镜? 使用时应注意什么问题?

5. 牛顿环中心在何种条件下是暗斑,何种条件为亮斑?

六、 实验数据与数据处理

公式 $r_k^2 = kR\lambda$ 可写成 $D_k^2 = 4k\lambda R$,可以看出 D_k^2 与 k 成线性关系,即 $D_k^2 - k$ 图线是一条直线。以 D_k^2 为纵坐标,k 为横坐标,根据测量值,在 $D_k^2 - k$ 图中描点即可作出一条直线(见图 3-17-5)。该直线的斜率 B 就等于 $4R\lambda$,因此,由直线斜率求出 $R = \dfrac{B}{4\lambda}$。

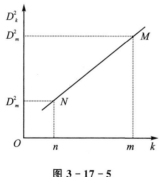

图 3-17-5

将测量数据记入表 3-17-1 中,用逐差法数据处理原理计算每相隔 15 环直径的平方差,代入式(3-17-8)得到平凸透镜凸面曲率半径。R 理论计算误差来自 $D_m^2 - D_n^2$ 的计算误差,所以相对误差 E_r 可写成

$$E_r = \frac{\overline{\Delta(D_m^2 - D_n^2)}}{D_m^2 - D_n^2} \times 100\%$$

$$\Delta R = R \times E_r = \underline{\hspace{3cm}}$$

即

$$\Delta R = \frac{\overline{\Delta(D_m^2 - D_n^2)}}{4\lambda(m-n)}$$

实验结果：$R \pm \Delta R =$ _____。（钠光灯的钠黄光波长 $\lambda = 589.3$ nm）

表 3 - 17 - 1

环序数		25	24	23	22	21	
环位置	$x_左$						
	$x_右$						
$D_m = \mid x_左 - x_右 \mid$							
D_m^2 / mm^2							平均值
环序数		15	14	13	12	11	
环位置	$x_左$						
	$x_右$						
$D_n = \mid x_左 - x_右 \mid$							
D_n^2 / mm^2							
$(D_m^2 - D_n^2) / \text{mm}^2$							
$[\Delta(D_m^2 - D_n^2)] / \text{mm}^2$							

七、 注意事项

1. 为了防止读数显微镜的"回转误差"，读数鼓轮只能朝一个方向旋转。

2. 实验中，在调节读数显微镜物镜焦距的时候，镜筒应该从下往上缓慢调节，以免碰伤物镜以及待测物体。

3. 干涉环的序数不能读错，所以在测量的过程中，旋转鼓轮一定要缓慢仔细。读数时，尽量使十字叉丝对准干涉暗环的中央。

4. 钠光灯不要频繁开关，以免减少使用寿命。

实验十八　光栅衍射

一、 实验目的

1. 加深对光波干涉、衍射的基本原理的理解。

2. 了解光栅的主要特性。

二、 实验仪器

汞灯、凸透镜、可调狭缝、透射光栅、测微目镜及支架、二维架、二维底座、三维底座、升降调节座。

三、　实验原理

光栅是由数目极多的等宽、等间距、平行排列的狭缝组成,是用光的衍射原理制成的一种分光元件。当一束平行单色光垂直入射到光栅上时,透过光栅每条狭缝的光都产生衍射,而通过光栅不同狭缝的光还要发生干涉。因此,光栅的衍射条纹实质应是衍射和干涉的总效果。其原理如图 3-18-1 所示。

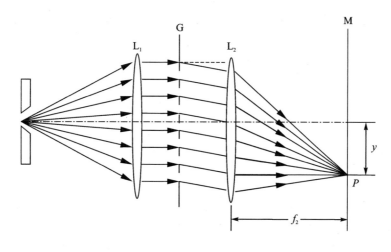

图 3-18-1

图 3-18-1 中,L_1、L_2 为凸透镜,G 为光栅,它有 N 条宽度为 a 的狭缝,相邻的狭缝间不透明部分的宽度为 b。相邻两狭缝射来的对应光线到达 P' 点的光程差为

$$\delta = (a+b)\sin\theta = d\sin\theta \qquad (3-18-1)$$

其中,$d=a+b$,称为光栅常数。

产生衍射亮条纹(主极大)的条件为

$$d\sin\theta = k\lambda \quad (k=0,\pm1,\pm2,\pm3,\cdots) \qquad (3-18-2)$$

式(3-18-2)称为光栅方程,式中 θ 是衍射角,λ 是光波波长,k 是亮条纹级次。如果光源中含有几种不同的波长,则当 $k=0$ 时,任何波长的光均满足光栅方程,即在 $\theta=0$ 的方向上,各种波长的光谱线重叠在一起,形成明亮的零级光谱。对于 k 的其他数值,不同波长的光谱线出现在不同的方向上,而同一波长的正、负 k 级光谱线对称地分布在零级光谱线两侧。因此,若光栅常数 d 已知,在实验中测定了 k 级谱线衍射角 θ,则可以求出该谱线的波长 λ。

四、 实验步骤

1. 按图 3-18-1 放置好仪器,使之同轴等高。

2. 狭缝须调铅直,并使光栅刻线和测微目镜分划板上的毫米尺刻线与狭缝平行。

3. 移动 L_1 使 S 处于 L_1 的前焦点上;移动 M,使 M 处于 L_2 的后焦面上。L_1 与 G,G 与 L_2 尽量靠近(L_1 与 L_2 的焦距参数已标注在凸透镜的边框上)。

4. 此时将从测微目镜观察衍射图样,同时调节狭缝宽度。注意,要慢慢调节狭缝,以防损坏刀口。

5. 转动目镜,消除光谱线与分划板之间的视差。

6. 根据光栅方程,衍射的各主极大由下式决定:

$$d\sin\theta = k\lambda \quad (k = \pm1, \pm2, \pm3, \cdots) \qquad (3-18-3)$$

实际上,因为 θ 角很小,我们可以近似地认为

$$\sin\theta \approx \tan\theta \approx y/f_2 \qquad (3-18-4)$$

把式(3-18-4)代入式(3-18-3)式,可得

$$yd/f_2 = k\lambda \qquad (3-18-5)$$

式中,d 是光栅常数;y 是某待测谱线位置到零级谱线的距离;f_2 是透镜 L_2 的焦距;k 是衍射级;λ 是光波波长,汞灯绿谱线的波长为 546.1 nm。所以,若光栅常数 d 已知,只要测出某待测谱线位置到零级谱线的距离 y,并数出此谱线的级次 k,就可以算出光波的波长 λ。

7. 衍射级为 $k = 0,1,2$ 的绿光的位置一定要测量。若能测量到 $k = 3$ 级的绿光的位置,则测量;若不能,也可以不测。

五、 预习思考题

1. 使用光栅时要注意什么问题?

2. 狭缝的宽度对光谱线的观测有什么影响?

3. 用式(3-18-2)来测量光栅常数时,应该满足哪些条件?

六、 实验数据与数据处理

$f_1 = $ _____ $f_2 = $ _____ $d = $ _____

光栅衍射实验光谱线位置表格见表 3-18-1。

表 3 - 18 - 1

测量序号	K_0	K_1	K_2	K_3	K_1-K_0	K_2-K_1	K_3-K_2	Δy
1								
2								
3								

实验结果：

$\lambda = \Delta y d / f_2 = $ _____

相对误差：

$$E = \frac{|\lambda_{实} - \lambda_{测}|}{\lambda_{实}} \times 100\% = $$ _____

七、　注意事项

1. 光栅属于精密的光学元件，严禁用手触摸光栅表面，以免损坏。
2. 汞灯在使用时，不要频繁开关，否则会降低使用寿命。

实验十九　迈克尔逊干涉仪的调节与使用

一、　实验目的

1. 掌握迈克尔逊干涉仪的调节和使用方法。
2. 用迈克尔逊干涉仪测定氦-氖激光的波长。

二、　实验仪器

迈克尔逊干涉仪。

三、　实验原理

(一) 等倾干涉

相同入射角的光因干涉而产生同一条干涉条纹，不同倾角的光产生不同的条纹，这种干涉称为等倾干涉。如图 3 - 19 - 1 所示，波长为 λ 的单色光经过互相平行的平面反射镜 M_1 和 M_2 分别反射出来，则 M_1 和 M_2 之间可看成空气薄层，反射出来的光线光程差 δ 为

$$\delta = AB + BC - AD = 2d\cos i$$

式中,d 为 M_1 和 M_2 之间的距离。倾角 i 是光线与 M_1(或 M_2)法线的夹角,干涉图样位于无限远。

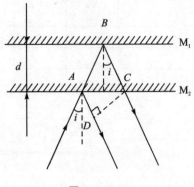

图 3 - 19 - 1

(二) 迈克尔逊干涉仪

干涉仪是凭借光的等倾干涉原理以测量长度或长度变化的精密仪器。实验室常用的是迈克尔逊干涉仪,其结构原理简图如图 3 - 19 - 2 所示。图中,M_1 和 M_2 是两个相互垂直的平面反射镜。G_1 背面镀有半透膜,它将入射光分成振幅几乎相等的反射光 1 和透射光 2,故 G_1 称为分光板。G_2 也是一个平行平面玻璃板,厚度和折射率均与 G_1 相同,与 G_1 平行放置。由于它补偿了反射光 1 和透射光 2 之间的附加光程差,所以称为补偿板。

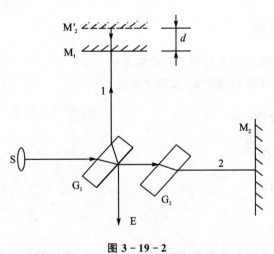

图 3 - 19 - 2

从光源 S 射来的光,到达分光板 G_1 后被分成两部分:反射光 1 在 G_1 处反射后,向着 M_1 前进;透射光 2 经过 G_1 后,向着 M_2 前进,这两列光分别在 M_1、M_2 上反射后逆着各自的入射方向返回,最后都到达观察面 E 处。这两列光波来自光源上同一点,是相干光,所以在 E 处能看到干涉图样。

由于光在分光板 G_1 的背面反射,使 M_2 在 M_1 附近形成一平行于 M_1 的像 $M_2{}'$。因而,光在迈克尔逊干涉仪中自 M_1 和 M_2 的反射,相当于自 M_1 和 $M_2{}'$ 的反射。由此可见,在迈克尔逊干涉仪中所产生的干涉,与 M_1、$M_2{}'$ 之间厚度为 d 的空气膜所产生的干涉是等效的。当 M_1 和 M_2 平行时(也就是 M_1 和 M_2 恰好相互垂直),可以观察到等倾条纹。

当观察屏垂直于轴放置时,屏上将出现同心干涉条纹,干涉条纹的位置取决于光程差,自 M_1 和 $M_2{}'$ 反射的两路光的光程差为

$$\delta = 2d\cos i \qquad (3-19-1)$$

其中 i 为反射光 1 在平面镜上的入射角。

对于第 k 级亮条纹,如果光束 1 和光束 2 在分光板上反射时无相位突变,则有

$$2d\cos i_k = k\lambda \qquad (3-19-2)$$

当 M_1 和 $M_2{}'$ 间的距离 d 逐渐增大时,对于 k 级条纹,必定以减少 $\cos i_k$ 的值来满足 $2d\cos i_k = k\lambda$,所以该干涉条纹将向 $\cos i_k$ 减小(i_k 增大)的方向移动,即向外扩展。这时可以观察到条纹好像从中心"涌出",并且每当间距 d 增加 $\lambda/2$ 时,就有一个条纹"涌出"。反之,当间距 d 逐渐减小时,条纹将一个一个向中心"陷入",每陷入一个条纹,间距 d 的改变也为 $\lambda/2$。

显然,若有 N 个条纹从中心"涌出",表明 $M_2{}'$ 相对于 M_1 移远了 Δd,有

$$\Delta d = N\frac{\lambda}{2} \qquad (3-19-3)$$

反之,若有 N 个条纹"陷入",表明 M_1 相对于 $M_2{}'$ 移近了同样的距离。如果测出 M_2 移动的距离 Δd,则可以由式计算入射光的波长。

四、 实验步骤

1. 打开氦-氖激光器,使激光光束基本垂直于 M_2 面,通过 M_2 上的两个螺钉分别调整镜面在水平方向的偏角和垂直方向的偏角(有时要调 M_1 后的两个螺钉),使通过两个小孔光阑的激光束在毛玻璃上重合,这时,能在毛玻璃上看到两排光点一一重合。

2. 换上扩束透镜,在毛玻璃上可以观察到干涉条纹。

3. 轻轻调节 M_2 后的螺丝,使干涉圆条纹处于毛玻璃中心。

4. 缓慢转动鼓轮,移动 M_2(它的移动量由螺旋测微计读出,经过传动系数比为 20:1 的机构,从读数头上读出的最小分度值相当于 M_2 上移动 0.000 5 mm)以改变 d,利用式(3-19-3)可以算出入射光的波长。

5. 中心每"涌出"或"陷入"50 个条纹,记下对应的 d 值,分别为 d_{50},d_{100},…,d_{250},将结果填入表 3-19-1 中。

6. $\lambda_{标} = 632.8$ nm,相对误差为

$$E = \frac{|\lambda_{测} - \lambda_{标}|}{\lambda_{标}} \times 100\%$$

五、 预习思考题

1. 本实验中的干涉条纹与牛顿环中的干涉条纹有何不同?
2. 如何判断和检验干涉条纹属于严格的等倾干涉条纹?
3. 画出迈克尔逊干涉仪的光路图。

六、 实验数据与数据处理

氦-氖激光波长的测定,数据记入表 3-19-1 中。

表 3-19-1

干涉环涌出(陷入)数 N_1	0	50	100
M_1 的位置读数 d_1			
干涉环涌出(陷入)数 N_2	150	200	250
M_2 的位置读数 d_2			
$\Delta N = N_2 - N_1$	150	150	150
$\Delta d = |d_2 - d_1|$			
$\overline{\Delta d}$			
$\lambda = 2\Delta d/(\Delta N \cdot M)$			

相对误差:$E = \dfrac{|\lambda_{测} - \lambda_{标}|}{\lambda_{标}} \times 100\% = \underline{\qquad}$。

七、 注意事项

1. 迈克尔逊干涉仪的精密度非常高,对光学面的要求极高,上面有一点灰尘对实验结果都会有影响,故使用时,严禁用手触摸光学元件的表面。在调整仪器时,应尽量缓慢、均匀,切勿用力过猛。

2. 为了减少实验误差,每次测量时,鼓轮只能向一个方向旋转,且一直保持这一方向,不得中途倒退。

3. 平面镜 M_1、M_2 背后的螺丝不能调节过度,否则不能产生干涉条纹。

4. 实验中,不能用眼睛直接对着激光束看,否则会灼伤视网膜。

第四章　综合设计性实验

大学物理中的设计性实验是不同于一般的操作性实验,要想较好地完成设计性实验,需要学生在实验操作前就要对实验内容有较全面的理性认识,否则就无法动手。

如果能让学生进行一个实验的全过程训练,即让学生基本上独立地、有条不紊地完成好一个设计性实验,那么这对学生真正掌握实验理论、实验方法以及解决实验过程中出现的问题,是会有帮助的。

下面简要介绍完成好设计性实验的基本过程。

1. 明确实验任务

对于任何一个设计性实验,首先必须明确该实验的任务,它要我们干什么? 是研究某个理论呢? 还是要测量某个物理量? 其次要明确实验对测量精度的要求。

2. 丰富自己的知识

根据实验任务,自己必须大量阅读有关的书籍,查阅有关的文献资料,以丰富自己的知识。主要是与实验密切相关的物理理论、相关知识、各种实验方法,测量手段以及仪器方面的知识等,使自己具有完成实验的全部知识。

3. 确定实验方案

在对实验确信自己有了完备的知识和深刻的认识后,再去设想进行本实验的方案。同时,还需要考虑实验的各种客观条件,如外界环境方面的条件、实验室现有设备条件等。在进行了各种比较之后,才可以确定出实验的方案。它应包括实验采取的方法、实验步骤以及配套仪器。对于实验中可能出现的问题,应有相应的措施和预设的解决方法。

4. 实验初步测量

因为在实验过程中总会出现许多预想不到的情况,使实验无法按要求完成,因此必须按照拟定的实验方案从头到尾试做一遍,并进行初步的测量,根据实验过程中出现的问题予以解决,并且不断地修正并完善拟定的实验方案,直至最终能测量出合理且符合要求的实验数据,从而也得到了有效的实验方案。

5. 撰写实验报告

设计性实验报告,形式上应归属于科学实验报告类别,它应包括下述诸内容。

(1) 实验目的和要求。文字要精练,用词要准确。

(2) 实验的最终方案。这是报告的主要部分,应该分条目撰写。既要有条理,又要有具体内容。它主要包括:实验原理、计算公式、实验仪器、实验步骤、有关图文说明以及实验难点和解决办法等部分。

(3) 数据处理与分析,实验结论。对实验数据与误差应进行分析,最后应给出实验结果与不确定度。对给出的实验结论要恰如其分,不要用夸大的语言,最好是用图表曲线的方式给出,使人一目了然,无需赘述。除了实验结论,还要给出日后的工作建议及进一步研究的计划。

实验二十　欧姆表的制作

欧姆表的作用主要是用来测量电阻的。然而,能不能很好地测量出给定的电阻,以及测量的误差的大小,就取决于欧姆表的量程与性能的好坏。因此本实验的目的就是通过设计和制作欧姆表来加深了解欧姆表的原理、结构,从而找出减小测量误差的方法。

一、 实验目的

1. 深入了解欧姆表的测量原理和电路结构。
2. 学会欧姆表的设计制作方法。

二、 设计要求

1. 设计出一个具有量程"×1"和"×10"挡的欧姆表,估算出线路中元件的电参数(应有简要的计算过程)。
2. 给出具体的设计方案与元件参数,使测量精度 $E \leqslant \pm 2\%$。

三、 实验仪器

100 μA 表头、电阻箱、滑线变阻器、直流电源(或干电池)、电阻、开关等。

四、 提　示

(一) 欧姆表的原理

如图 4-20-1 所示,当被测电阻 R_x 接入时,形成闭合回路,此时电路中电流为

$$I = \frac{E}{R_z + R_x}$$

式中 R_z 为欧姆表的总内阻。如图 4-20-1 所示的 R_z 值为

$$R_z = \frac{R_g \cdot R_j}{R_g + R_j} + R_d + r$$

其中,R_g 为表头内阻,它的测量方法见有关实验(已知),r 为电源内电阻,R_j 为分流电阻,R_d 为限流电阻。

当 a、b 短接(相当 $R_x = 0$),电路中的电流达到最大值 $I_m = E/R_z$,设计中应使此

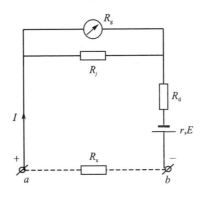

图 4 - 20 - 1

时的表头指针满偏。对于一给定的欧姆表，E，R_z 均不变时，被测电阻 R_x 与 I 形成一一对应的关系。这样就可以在表头的标度尺上标出电流 I 所对应的电阻值，也就得到了欧姆表的表头。注意到，由于 I 与 R_x 成非线性关系，所以欧姆表的刻度是非均匀的。但总有：当 $R_x=0$ 时，指针在满刻度处；当 $R_x=\infty$（a、b 两端开路）时，指针指在零位；当 $R_x=R_z$ 时，由于此时 $I=\dfrac{1}{2}I_m$，故指针将指在标度尺的中间位置。所以习惯上又称 R_z 为欧姆表的中值电阻 $R_中$。

（二）并联式调零电路

由于电源（电池）在使用一段时间后，电池的电动势 E 会发生变化，这时再短路 a、b，则指针就不再会指在"0"欧姆处。为了解决这一问题，人们想到了并联分流法，具体调零电路如下：图 4 - 20 - 2 中加入了"调零电阻"R_0。当电池的电动势低于标准值时，可将 R_0 的滑动端 P 往 A 端调，这样可增大流经表头的电流。若是新电池，其电动势高于标准值，则将 P 往 B 端调，此时与表头串联部分 R_0 的电阻增大，而分流支路 PBC 的电阻减小，从而电流分流增大，减小了流经表头的电流。这样，当 a、b 短路时只需调节 R_0 的滑动端 P 的位置就可使表针指在"0"欧姆处了。

下面具体分析计算。假定新电池最高可达 $E_{max}=1.6$ V，若又要求旧电池在 $E_{min}=1.2$ V 时也能使欧姆表正常测量，那么这时：

当 $E=1.2$ V 时，R_0 的 P 端移到最右端 A 处，此时分流电阻为 R_j（$R_j=R_j'+R_0$），设流过 R_d 的电流为 I，则有

$$I_g \cdot R_g = (I - I_g) \cdot R_j$$

即

$$I \cdot R_j = I_g \cdot R_g + I_g \cdot R_j$$

当 $E'=1.6$ V 时，R_0 的 P 端移到 B 端，此时分流电阻为 R_j'，设流过 R_d 的电流为 I'，则有

$$I_g(R_g + R_0) = (I' - I_g)R_j'$$

即

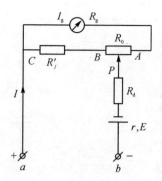

图 4 − 20 − 2

$$I' \cdot R'_j = I_g(R_g + R_0) + I_g \cdot R'_j$$

由于

$$R_j = R'_j + R_0$$

所以

$$I' \cdot R'_j = I_g \cdot R_g + I_g \cdot R_j$$

由上两式可得

$$I' \cdot R'_j = I \cdot R_j$$

如果 R_d 适当增大,且欧姆表的准确度不是无限的话,则可以近似地认为在调节过程中,欧姆表的中值电阻 $R_{中}$ 变化非常小,基本上可认为是个定值。从而有

$$\frac{I'}{I} = \frac{E'}{E} = \frac{1.6}{1.2} = 4/3$$

则有

$$R_j = \frac{4}{3}R'_j$$

再由

$$R_j = R'_j + R_0$$

可得

$$R_0 = \frac{1}{3}R'_j$$

另一方面,由闭合回路欧姆定律,当 P 处于 A 端或 B 端时,有

$$I = \frac{E}{R_d + R_{AC}}, \quad I' = \frac{E'}{R_d + R_{BC}}$$

其中

$$R_{AC} = \frac{R_j \cdot R_g}{R_j + R_g}$$

$$R_{BC} = \frac{R'_j(R_g + R_0)}{R'_j + (R_g + R_0)}$$

既然要求 $R_{中}$ 基本不变,也即要求 $R_{AC}=R_{BC}$,这样将上两式中的 R_0、R_j 一律用 R_j' 替代,则可得到

$$R_j'=R_g$$

$$R_{AC}=R_{BC}=\frac{4}{7}R_g$$

由此,我们就算出了 R_j',相应也就得到了 R_0。

关于 R_d 的求法比较简单,先根据表头的参数 R_g、I_g、R_x 的测量,以及确定 R_x 的值。由于 $R_j'=R_g$,所以当 R_x 取 0 时,在电池电动势 E 的变化过程中,回路总电流的平均值 $\bar{I}$ 就应是 I_g 的两倍,即有

$$R_z=\bar{E}/\bar{I}=\bar{E}/2I_g=1.4/2I_g$$

因而

$$R_d=R_z-R_{AC}-r$$

电池内阻一般取 $r=0.5\sim1\ \Omega$(很小),所以有

$$R_d=R_z-R_{AC}=R_z-\frac{4}{7}R_g$$

(三) 扩大欧姆表量程

由于欧姆表只在中值电阻的 $0.2\sim5$ 倍的刻度范围内测量结果才满足精度要求,为此欧姆表都做成是很多量程的,而相邻量程的比值均取为 10,所以两个量程分别为 $R\times1$、$R\times10$,R 为表盘读数。

改变量程的方法是改变欧姆表的中值电阻。具体做法是:在原来 $R_{中}$ 的基准上并联一个分流电阻,使新的中值电阻 $R_{中}'=R_{中}/10$。设并联电阻为 R_2,则

$$R_{中}'=\frac{R_{中}\cdot R_1}{R_{中}+R_1}=R_{中}/10$$

从而解出 R_2,显然 $R_{中}'<R_{中}$,即并联 R_2 后中值电阻减小,导致并联后的挡位变小。设未并联时挡位为 $R\times100$,可知并联 R_2 后相应挡为 $R\times10$。

用同样的方法可求出 $R\times1$ 挡的并联电阻 R_1。最后,欧姆表的电路示意如图 4-20-3 所示。

(四) 确定表盘的标度尺

完整的欧姆表必须有自己的表盘刻度以及挡位标识,待测电阻阻值=表盘刻度盘读数×挡位。明显,挡位为 $R\times1$ 的表盘读数等于待测电阻阻值,所以在制作欧姆表绘制表盘刻度时应绘制 $R\times1$ 挡的电阻值。可将电阻箱接在欧姆表的 a、b 端,取电阻为一组特定的整数值 R_{x1},R_{x2},……相应读取对应的偏转格数 d_1,d_2,……利用所得数据 R_{xi} 与 d_i 绘制出欧姆表的标度尺。

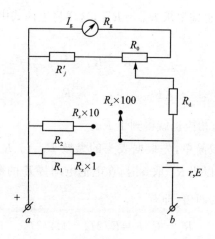

图 4-20-3

实验二十一　细长导线电阻率的测量

一、　实验目的

1. 测量细长导线的电阻率。
2. 研究导线的长度、直径和电阻的关系。

二、　设计要求

1. 给出测量细长导线电阻率的设计方案,并提出测量的基本方法。
2. 给出测量用的理论和计算式。

三、　实验仪器

1. 测电阻仪器:电压表(45～3 000 mV)、滑线变阻器 100 Ω、安培表(7.5 mA～30 A)、可调电阻箱 ZX21、干电池 2×1.5 V、单刀开关若干个、QJ19 双臂电桥、标准电阻 BZ3、检流计 AC5/2。
2. 测面积仪器:螺旋测微计 0～25 mm、劈尖、读数显微镜、低压钠灯。
3. 测长度仪器:米尺、物理天平,给定导体材料线密度或导体材料体密度。

四、　提　示

导体的电阻与导线的长度 l 成正比,与导体的横截面积(即垂直于电流方向的截面积)S 成反比,而且还和材料的性质有关。它们之间的关系可用公式表示为

$$R = \rho \frac{l}{S}$$

这一公式叫做电阻定律,式中 ρ 是导体材料的电阻率。

　　金属导体材料的电阻率是衡量金属导电性能好坏的物理量。不同的金属具有不同的电阻率,同种金属在不同的外部环境,如不同的温度下,其电阻率不同。本实验要求在特定温度下(一般在 20 ℃常温下)完成,实验时要记录当时的环境温度。

　　只要求出给定导线的电阻、长度以及横截面积三个量,就可以求出电阻率。而这三个量中每一个量的测量都涉及一个基本实验。具体用哪一种实验方法和基本实验,都从实验给定的材料、仪器,尽量减少误差的角度考虑。

　　设计实验时应根据导线的粗细、长短、质量等特点来确定仪器及其搭配。如长度能否用米尺测量? 导线的电阻用伏安法还是电桥法测量? 导线直径是用基本测量还是用光学中的干涉或衍射测量? 或者各量采用通过其他方法"间接测量"计算求得? 通过细致的分析、预测和严密推理,设计出几套优化组合方案进行比较,再根据实验室能提供的条件进行实验。

　　实验时需要注意以下问题:

　　(1) 由于导线电阻很小,只有几欧姆左右,测量电阻时需用测量精密度较高的仪器,请参考双臂电桥测电阻。

　　(2) 由于导线长度无法拉直测量,即无法和标准量比较的方法测量。

　　(3) 如果用劈尖测导线直径,需要对整个实验非常熟悉,否则时间不够。

实验二十二　单摆法测定重力加速度

　　重力加速度是一个很重要的物理参数,准确测量重力加速度,有着很重大的意义。本实验就当地的重力加速度进行测定,通过本实验能大大提高我们在重力加速度测定方面的设计能力和动手能力。

一、　实验目的

1. 用单摆法测定当地重力加速度。
2. 研究摆长 l 和时间间隔 t 对实验测量结果的影响。
3. 了解其他测量重力加速度的方法。

二、　设计要求

1. 给出用单摆测量重力加速度的设计方案,并提出测量的基本方法。
2. 给出测量用的理论和计算式,要求测量相对误差 $E \leqslant \pm 1\%$。
3. 分析测量中的各种因素对测量结果的影响,找出消除或修正系统误差的方法。

4. 收集其他几种测量重力加速度的方法。

三、 实验仪器

支架（带有标尺和反射镜、摆球、米尺、游标卡尺及停表）、单摆装置如图 4 - 22 - 1 所示。

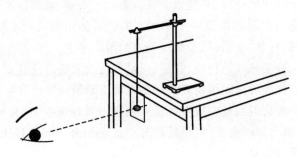

图 4 - 22 - 1

在重力可忽略的细线上拴有一小金属球，球的直径比细线的长度小得多。测量摆长时，用米尺测摆线长度，用游标卡尺测摆球的直径。测量周期时不要使单摆的摆幅过大，测量摆动 50 次所需时间，测周期时，选择摆球通过最低位置时开始计时，并且当摆线、刻线、摆线在平面反射镜中的像三者重合时计时。

四、 提 示

由物理学知识可知，一个可不计体积的质点，悬挂在无质量、不可伸长的悬线上，即构成理想的数学摆。所以单摆只是数学摆的一种近似装置。设一单摆的摆长为 l，摆球质量为 m，在空气的浮力和阻力可忽略，且摆角 θ 较小时，单摆运动为简谐振动，其振动周期为 $T = 2\pi\sqrt{\dfrac{l}{g}}$，可见，如果测出 l 和 T，就可计算 g。

由

$$T = 2\pi\sqrt{\frac{l}{g}} \rightarrow g = 4\pi^2\frac{l}{R}$$

可知 g 的相对误差为

$$E_r = \frac{\Delta g}{g} = \frac{\Delta l}{l} + 2\frac{\Delta T}{T} = \frac{\Delta l}{l} + 2\frac{\Delta t}{t}$$

可看出，当测量仪器选定时，Δl 和 Δt 亦给定，E_r 随 l 和 t 的增加而减少。

上述单摆振动周期公式偏差也会增大。由理论分析可严格证明单摆的振动周期 T 和摆角 α 之间的关系为

$$T = 2\pi \sqrt{\frac{l}{g}} \left[1 + \left(\frac{1}{2} \right)^2 \sin^2 \frac{\alpha}{2} + \left(\frac{1 \times 3}{2 \times 4} \right)^2 \sin^4 \frac{\alpha}{2} + \cdots \right]$$

$T = 2\pi \sqrt{\dfrac{l}{g}}$ 只是对上式的零级近似，$\sin^4 \dfrac{\alpha}{2} < \sin^2 \dfrac{\alpha}{2}$，略去 $\sin^4 \dfrac{\alpha}{2}$ 及以后各项，则有

$$T = 2\pi \sqrt{\frac{l}{g}} \left[1 + \frac{1}{4} \sin^2 \frac{\alpha}{2} \right]$$

实验二十三　简谐振动的研究

在物体的周期运动中，最简单、最基本和最有代表性的振动形式是简谐振动。简谐振动是一切周期运动的理想模型，因此研究简谐振动对进一步研究复杂振动有着重要的意义。本实验就弹簧振子的简谐振动规律进行研究。

一、　实验目的

1. 通过实验验证简谐振动的基本规律。
2. 检验弹簧振子振动周期与质量的关系。
3. 测量弹簧的有效质量。

二、　设计要求

1. 找出几种研究简谐振动的实验，并作分析比较。
2. 提出测量弹簧的倔强系数和有效质量的设计方案、实验步骤。
3. 振动周期的实验值与理论值之间的误差：$E \leqslant \pm 1\%$。

三、　实验仪器

若用"焦利秤法"，则可用仪器有焦利秤、砝码、天平、停表等。

利用焦利秤进行测量的装置如图和 4-23-1 所示，在装有水平调节螺丝(2)的三足座(1)上，竖直装一套筒(4)，套筒顶端安装 0.1 刻度的游标(5)，筒内插入刻有毫米刻度的筒管(6)，利用旋钮(3)，通过里面的滑轮、链条可调节刻度筒管在套筒中升降，螺钉(7)供固定弹簧(8)之用，带小缺口的夹子(10)供夹持指标管(11)用，夹子(16)夹持平台套筒，旋钮(17)调节平台(15)的升降。本仪器另附有表面张力线框、玻璃盘、铝盘和指标镜，当上下移动管，使细金属杆上镜子的标线和玻璃管上的标线与镜中的像三者重合(以后简称三线重合)时，相当于弹簧秤对准零点。零点的读数可由管的刻度和外管上的游标读出。

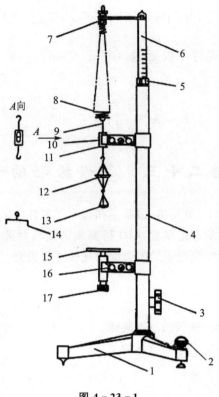

图 4 - 23 - 1

四、 提 示

1. 测量弹簧的倔强系数 k

(1) 不加砝码,使细金属杆上镜子的标线、玻璃管上的标线以及玻璃管的标线在镜中的像三者重合(简称三线重合),读出平衡时位置 x。

(2)依次增加 mg 砝码到砝码盘中,共测 N 次($N \geqslant 5$),逐次记下平衡时米尺的读数位置 $x_1,x_2,\cdots,x_n$(注意:每次要三线重合)。

(3)用逐差法处理数据。可得出弹簧的倔强系数为

$$k = \frac{\dfrac{N+1}{2}mg}{\overline{\Delta x}}$$

其中$\overline{\Delta x}$是每次弹簧伸长 Δx 的平均值。

2. 检验弹簧振子振动周期与质量 M 的关系

设细杆质量为 m_1,砝码盘质量为 m_2,弹簧自身的有效质量为 m,则可得出振动周期 T 与质量 M 的关系为

$$T = 2\pi \sqrt{\frac{M + m_1 + m_2 + m_0}{k}}$$

（1）依次往砝码盘中增加一定量的砝码，共 N 次（$N \geqslant 5$），测出每次的振动周期 T（测周期用停表）与质量 M_i。

（2）以 M_i 为横坐标，T_i^2 为纵坐标，如得一直线，再由 $P = 4\pi^2/k'$ 求出 k'，并与逐差法求出的 k 进行比较。若相等，则 $T = 2\pi \sqrt{\dfrac{M + m_1 + m_2 + m_0}{k}}$ 的关系得到验证。

3. 求弹簧自身的有效质量

利用 T^2-M 图线，找出直线截距，测出 m_1、m_2、k 值就可以求得 m_0。

实验二十四　滑线变阻器特性的研究

滑线变阻器是控制电路中电压和电流连续变化的基本器件，利用滑线变阻器能使电路的电压或电流达到某一指定的数值或者使其在一定的范围内连续变化，然而滑线变阻器在电路中不同的接法就有不同的系统误差，因此在电路设计中占有非常重要的地位。本实验就滑线变阻器在电路中的接法及其性能进行研究。

一、　实验目的

1. 学习滑线变阻器在电路中的两种接法及其在性能上的比较。

2. 掌握电学实验的综合设计方法，正确选择滑线变阻器及其配套仪器，以满足需要设计的电路要求。

3. 研究消除系统误差的方法，提高实验的测量精度。

二、　设计要求

1. 设计一个用伏安法测量电阻约为 $50\ \Omega$ 负载的控制电路。已知电压表内阻为 $1\ \text{k}\Omega$，量程为 $0 \sim 7.5\ \text{V}$；电流表量程为 $0 \sim 30\ \text{mA}$，相应内阻为 $9.0\ \Omega$、$4.8\ \Omega$、$2.5\ \Omega$。

2. 提出具体的设计电路和消除系统误差的方法，使测量精度 $E \leqslant \pm 2\%$。

三、　实验仪器

待测电阻或可调电阻箱、直流稳压电源（$0 \sim 10\ \text{V}$ 挡）、滑线变阻器、开关，以及由已知条件所给的电压表、电流表等。

四、　提　示

(一) 限流电路与分压电路

用滑线变阻器控制电路的常见方法有限流和分压两种基本方法。

1. 限流电路

限流电路示意图如图 4-24-1 所示。

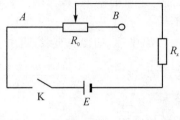

图 4-24-1

下面介绍限流电路的特点。

R_0 为控制用滑线变阻器;电压调节范围为

$$\left(\frac{R_x}{R_x + R_0} \cdot E\right) \sim E$$

电流调节范围为

$$\frac{R_x}{R_x + R_0} \sim \frac{E}{R_x}$$

回路电流 I 的最小改变量

$$(\Delta I)_{\min} = \frac{l^2}{E} \cdot \Delta R_0$$

ΔR_0 为滑线变阻器绕线一圈的电阻值。

2. 分压电路

分压电路如图 4-24-2 所示。

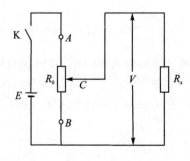

图 4-24-2

下面介绍分压电路的特点。

电压 V 的调节范围为 $0 \sim E$,与 R_0 无关,电压调节公式

$$V = \frac{R_{AC} \cdot R_x}{R_{BC} \cdot R_{AC} + R_x \cdot R_0} \cdot E$$

当 $R_x \geqslant R_0$ 时,V 的最小改变量为

$$(\Delta V)_{min} = \frac{\Delta R_0}{R_0} \cdot E$$

当 $R_x \geqslant R_0$ 时,

$$(\Delta V)_m = \frac{V^2}{ER_x} \cdot \Delta R_0$$

当 R_x 与 R_0 数量级相同时,其情况属于 $R_x \geqslant R_0$ 与 $R_x \leqslant R_0$ 二者之间的过渡。当 R_x 与 R_0 数量级不相同时,一般其值范围是 $2R_0 > R_x > \frac{1}{10}R_0$。

(二) 加接细调电阻

如果电路中只有一个可控制的滑线变阻器,则由于 ΔR_0 较大会导致 $(\Delta l)_m$、$(\Delta V)_m$ 较大,故不能细微调节。为此,可用加接细调电阻方法予以解决,即将 R_0 用两个滑线电阻 R_{01}、R_{02} 串联而成。R_{01} 称粗调(主控)电阻,R_{02} 称细调电阻,$R_{01} : R_{02} \approx 10 : 1$(一般取法),串联方式大致有加细调的限流电路和加细调的分压电路两种,如图 4-24-3 和图 4-24-4 所示。

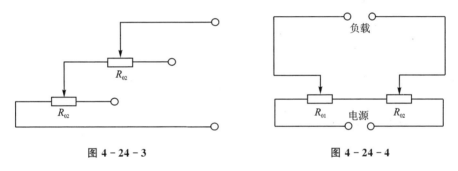

图 4-24-3　　　　　　　　　　　　　　图 4-24-4

实验二十五　折射率的测定

折射率是光学媒质的重要特性参数,也是光学材料品质的主要指标之一。媒质的折射率和入射光的波长有关。测定了某种材料的折射率就可以了解该材料的光学性能,特别是光在其中的传播情况,因而折射率的测定有着十分重要的意义。测量媒质折射率的方法很多,折射极限法就是比较常见的一种。

一、 实验目的

1. 进一步熟悉分光计的调整和使用。
2. 学习折射极限法测固体和液体折射率。
3. 比较最小偏向角法与折射极限法测量折射率的优缺点。

二、 设计要求

1. 给出测量折射率的设计方案。
2. 要求测量精度 $E \leqslant \pm 2\%$。
3. 能使仪器调到最佳状态,使三棱镜的主截面能垂直于转轴,消除角度测量的误差。

三、 实验仪器

分光计、平面反射镜、玻璃三棱镜、钠光灯、毛玻璃、待测液体等。

四、 提 示

(一) 折射极限法原理

在分光计的使用与三棱镜折射率的测定实验中,测量三棱镜折射率所用的方法是最小偏向角法,而本节提供一种新的测试方法——折射极限法。它是测定固体和液体折射率的基本方法之一。

如图 4-25-1 所示,当一束光平行三棱镜界面入射时,该束光的出射角为 ϕ,相比那些非平行界面入射光的出射角,ϕ 为最小。ϕ 称为极限角,故此法称为折射极限法。这里 ϕ 为出射光线与界面法线的夹角。

下面介绍折射极限法测量折射率 n 的公式。

如图 4-25-1 所示,当一束光以入射角 i 射入三棱镜一光学面上时,由光折射定律可得出

$$n = \frac{1}{\sin A} \sqrt{\sin^2 i \cdot \sin^2 A + (\sin i \cdot \cos A + \sin \phi)^2}$$

此处利用了公式 $r + r' = A$,这里 n 即是三棱镜的折射率。

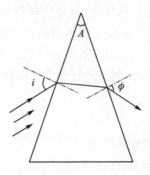

图 4-25-1

注:物质的折射率与通过物质的光的波长有关。但一般所指的固体或液体的折

射率均是对钠光波长 589.3 nm 而言,本实验也同。

当入射光平行界面入射时,$i = 90°$,此时折射率变为

$$n = \sqrt{1 + \left(\frac{\cos A + \sin \phi}{\sin A} \right)^2}$$

这时只要用分光计分别测出棱镜的顶角 A 和出射角 ϕ,那么利用此式就可以求得棱镜的折射率 n。

(二) 光线掠入射时光线出射角 ϕ 的测定

由于入射角 $i > 90°$ 的光线不能进入棱镜,因此在望远镜中看其出射,显然是暗视场;而 $i < 90°$ 的光线,其出射角必大于极限角,所以转动望远镜,必然看到明视场。而明、暗视场的分界线就是 $i = 90°$ 的掠入射引起的极限角方向。将叉丝的交点对准明、暗分界线(因为视场中的明、暗分界线是一条曲线),记下两个读数窗上的读数,再将望远镜对准三棱镜出射界面的法线,同样记下读数。重复 3~5 次求平均,就可求得极限角 ϕ。

(三) 液体折射率的测定

要测液体的折射率,如图 4-25-2 所示。在折射率和顶角 A 都已知的棱镜面上,涂一薄层待测液体。上面再加一棱镜或玻璃板,将待测液体薄层均匀夹平。

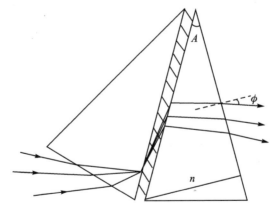

图 4-25-2

由图 4-25-2 可见,在液体中通过的光线越接近平行界面,则相应的出射角 ϕ 就越小。设待测液体的折棱镜射率为 n_x,则可以推得

$$n_x = \sin A \cdot \sqrt{n^2 - \sin^2 \phi} \pm \cos A \cdot \sin \phi$$

此式源于 $r + r' = A$。若出射光线在法线的左边,则取"+"号,反之取"-"号。

这个公式是用三棱镜来测液体的折射率 n_x 时的计算式,如果不用三棱镜而用直角棱镜来测,则因为 $A = 90°$,故有

$$n_x = \sqrt{n^2 - \sin^2 \phi}$$

所以在已知棱镜的顶角 A 和折射率的情况下,只需测出出射的极限角 ϕ 就可得到液体的折射率 n_x。

(四) 其 他

入射光的取得:要使入射光都平行于三棱镜面是不容易做到的。我们变换一下,把入射光扩展为光束。方法是在钠灯光源前加一块毛玻璃,则光就成为了向各方向漫射的扩展光,原理如图 4 - 25 - 3 所示。

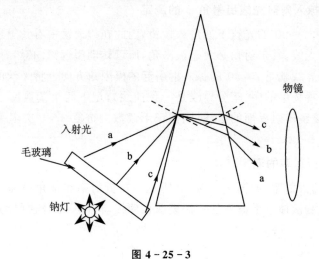

图 4 - 25 - 3

附　　录

（1）国际单位制的基本单位(见附表1)；

（2）国际单位制的辅助单位(见附表2)；

（3）国际单位制中具有专门名称的导出单位(见附表3)；

（4）国家选定的非国际单位制单位(见附表4)；

（5）用于构成十进倍数和分数单位的词头(见附表5)；

（6）常用物理基本常数表(见附表6)。

附表1　国际单位制的基本单位

量的名称	量符号	单位名称	单位符号
长度	L	米（又称"公尺"）	m
质量	M	千克（又称"公斤"）	kg
时间	T	秒	s
电流	I	安［培］	A
热力学温度	H	开［尔文］	K
物质的量	N	摩［尔］	mol
发光强度	J	坎［德拉］	cd

附表2　国际单位制的辅助单位

量的名称	单位名称	单位符号
［平面］角	弧度	rad
立体角	球面度	sr

附表3　国际单位制中具有专门名称的导出单位

量的名称	量符号	单位名称	单位符号
力/重力	力为F,重力为G	牛［顿］	N
压强/应力	p	帕［斯卡］	Pa
能［量］/功/热量	能量为E,功为W,热量为Q	焦［耳］	J
功率/辐［射能］通量	P	瓦［特］	W
电荷［量］	Q	库［仑］	C
电势/电压/电动势	电势为φ,电压为U,电动势为E	伏［特］	V
电阻	R	欧［姆］	Ω

续附表 3

量的名称	量符号	单位名称	单位符号
电导	G	西[门子]	S
电容	C	法[拉]	F
磁通[量]密度/磁感应强度	B	特[斯拉]	T
磁通[量]	Φ	韦[伯]	Wb
电感	L	亨[利]	H
摄氏温度	t	摄氏度	℃
平面角	α	弧度	rad
立体角	Ω	球面度	sr
光通量	Φ	流明	lm
[光]照度	I	勒克斯	lx
[放射性]活度	A	贝克勒尔	Bq
吸收剂量	D	戈瑞	Gy
剂量当量 (等效剂量)	H	希沃特	Sv
催化活性	z	卡塔尔	kat

附表 4　国家选定的非国际单位制单位

量的名称	单位名称	单位符号	换算关系和说明
时间	分 [小]时 天(日)	min h d	1 min＝60 s 1 h＝60 min＝3 600 s 1 d＝24 h＝86 400 s
[平面]角	[角]秒 [角]分 度	(″) (′) (°)	$1''=(\pi/648\,000)$ rad(π 为圆周率) $1'=60''=(\pi/10\,800)$ rad $1°=60'=(\pi/180)$ rad
旋转速度	转每分	r/min	1 r/min＝(1/60) r/s
长度	海里	n mile	1 n mile＝1 852 m (只用于航行)
速度	节	kn	1 kn＝1 n mile/h 　　＝(1 852/3 600) m/s (只用于航行)
质量	吨 原子质量单位	t u	1 t＝1 000 kg 1 u≈1.660 565 5×10^{-27} kg

续附表 4

量的名称	单位名称	单位符号	换算关系和说明
体积	升	L(l)	$1\ L=1\ dm=10^{-3}\ m^3$
能	电子伏	eV	$1\ eV\approx1.602\ 189\ 2\times10^{-19}\ J$
级差	分贝	dB	
线密度	特[克斯]	tex	$1\ tex=1\ g/km$

附表 5　用于构成十进倍数和分数单位的词头

因　数	词头名称	符　号
10^{18}	艾[可萨]	E
10^{15}	拍[它]	P
10^{12}	太[拉]	T
10^{9}	吉[咖]	G
10^{6}	兆	M
10^{3}	千	k
10^{2}	百	h
10^{1}	十	da
10^{-1}	分	d
10^{-2}	厘	c
10^{-3}	毫	m
10^{-6}	微	μ
10^{-9}	纳[诺]	n
10^{-12}	皮[可]	p
10^{-15}	飞[母托]	f
10^{-18}	阿[托]	a

附表 6　常用物理基本常数表

物理常数	符　号	最佳实验值	供计算用值
真空中光速	c	$(299\ 792\ 458\pm1.2)m/s$	$3.00\times10^{8}\ m/s$
引力常数	G_0	$(6.672\ 0\pm0.004\ 1)\times10^{-11}\ m^3/s^2$	$6.67\times10^{-11}\ m^3/s^2$
阿伏加德罗常数	N_0	$(6.022\ 045\pm0.000\ 031)\times10^{23}\ mol^{-1}$	$6.02\times10^{23}\ mol^{-1}$
普适气体常数	R	$(8.314\ 41\pm0.000\ 26)J/(mol\cdot K)$	$8.31\ J/(mol\cdot K)$
玻耳兹曼常数	k	$(1.380\ 662\pm0.000\ 041)\times10^{-23}\ J/K$	$1.38\times10^{-23}\ J/K$

物理常数	符 号	最佳实验值	供计算用值
理想气体摩尔体积	V_m	$(22.413\ 83 \pm 0.000\ 70) \times 10^{-3}\ m^3/mol$	$22.4 \times 10^{-3}\ m^3/mol$
基本电荷(元电荷)	e	$(1.602\ 189\ 2 \pm 0.000\ 004\ 6) \times 10^{-19}\ C$	$1.602 \times 10^{-19}\ C$
原子质量单位	u	$(1.660\ 565\ 5 \pm 0.000\ 008\ 6) \times 10^{-27}\ kg$	$1.66 \times 10^{-27}\ kg$
电子静止质量	m_e	$(9.109\ 534 \pm 0.000\ 047) \times 10^{-31}\ kg$	$9.11 \times 10^{-31}\ kg$
电子荷质比	e/m_e	$(1.758\ 804\ 7 \pm 0.000\ 004\ 9) \times 10^{11}\ C/kg$	$1.76 \times 10^{11}\ C/kg$
质子静止质量	m_p	$(1.672\ 648\ 5 \pm 0.000\ 008\ 6) \times 10^{-27}\ kg$	$1.673 \times 10^{-27}\ kg$
中子静止质量	m_n	$(1.674\ 954\ 3 \pm 0.000\ 008\ 6) \times 10^{-27}\ kg$	$1.675 \times 10^{-27}\ kg$
法拉第常数	F	$(9.648\ 456 \pm 0.000\ 027)\ C/mol$	$96\ 500\ C/mol$
真空电容率	ε_0	$(8.854\ 187\ 818 \pm 0.000\ 000\ 071) \times 10^{-12}\ F/m^2$	$8.85 \times 10^{-1}\ F/m^2$
真空磁导率	μ_0	$12.566\ 370\ 614\ 4 \times 10^{-7}\ H/m$	$4\pi \times 10^{-7}\ H/m$
电子磁矩	μ_e	$(9.284\ 832 \pm 0.000\ 036) \times 10^{-24}\ J/T$	$9.28 \times 10^{-24}\ J/T$
质子磁矩	μ_p	$(1.410\ 617\ 1 \pm 0.000\ 005\ 5) \times 10^{-23}\ J/T$	$1.41 \times 10^{-23}\ J/T$
玻尔半径	α_0	$(5.291\ 770\ 6 \pm 0.000\ 004\ 4) \times 10^{-11}\ m$	$5.29 \times 10^{-11}\ m$
玻尔磁子	μ_B	$(9.274\ 078 \pm 0.000\ 036) \times 10^{-24}\ J/T$	$9.27 \times 10^{-24}\ J/T$
核磁子	μ_N	$(5.059\ 824 \pm 0.000\ 020) \times 10^{-27}\ J/T$	$5.05 \times 10^{-27}\ J/T$
普朗克常量	h	$(6.626\ 176 \pm 0.000\ 036) \times 10^{-34}\ J/s$	$6.63 \times 10^{-34}\ J/s$
精细结构常数	a	$7.297\ 350\ 6(60) \times 10^{-3}$	
里德伯常数	R	$1.097\ 373\ 177(83) \times 10^7\ m^{-1}$	
电子康普顿波长		$2.426\ 308\ 9(40) \times 10^{-12}\ m$	
质子康普顿波长		$1.321\ 409\ 9(22) \times 10^{-15}\ m$	
质子电子质量比	m_p/m_e	$1\ 836.151\ 5$	

参考文献

[1] 赵国南,杨定远,董淑香.大学物理实验[M].北京:北京邮电大学出版社,1994.

[2] 陈早生,任才贵.大学物理实验[M].上海:华东理工大学出版社,2003.

[3] 朱世国,等.大学基础物理实验[M].成都:四川大学出版社,1988.

[4] 金以立,王楚云.普通物理实验[M].南京:江苏教育出版社,1988.

[5] 杨述武,赵立竹,沈国土.普通物理实验三、光学部分[M].4版.北京:高等教育出版社,2007.

[6] 李寿松.物理实验教程[M].北京:高等教育出版社,2012.

[7] 郑友进.普通物理实验[M].北京:高等教育出版社,2012.

[8] 段向阳,刘必成.大学物理实验[M].北京:中国铁道出版社,1998.

[9] 肖苏,任红.实验物理教程[M].合肥:中国科学技术大学出版社,1998.

[10] 陆廷济.大学物理实验[M].上海:同济大学出版社,1996.

[11] 宋新刚.大学物理实验[M].兰州:甘肃教育出版社,1994.

[12] 陆金龄,杜树槐.大学物理实验[M].北京:中国铁道出版社,1993.

[13] 李平舟,武颖丽,吴兴林.综合设计性物理实验[M].西安:西安电子科技大学出版社,2012.

[14] 熊永红.大学物理实验:第一册[M].北京:科学出版社,2007.

[15] 孟祥省,高铁军,张山彪.大学物理实验[M].北京:科学出版社,2012.

[16] 李相银.大学物理实验[M].北京:高等教育出版社,2004.

[17] 李秀珍,张东升.大学物理实验[M].北京:中国科学技术出版社,2005.